Pauca Meæ

Aujourd'hui (1843-1855)

Livre IV des *Contemplations*

Petits Classiques

LAROUSSE

Collection fondée par Félix Guirand,
Agrégé des Lettres

Pauca Meæ

Aujourd'hui (1843-1855)
Livre IV des *Contemplations*

Victor Hugo

Texte intégral

Édition présentée,
annotée et commentée
par Laurence BABIC, agrégée de lettres modernes,
docteur ès lettres,
et Cécile JANNUSKA, normalienne,
agrégée de lettres modernes et docteur ès lettres.

Direction de la collection : Carine GIRAC-MARINIER

Direction éditoriale : Claude NIMMO

Édition : Laurent GIRERD

Lecture-correction : Élisabeth LE SAUX, Joëlle NARJOLLET

Recherche iconographique : Valérie PERRIN

Direction artistique : Uli MEINDL

Couverture et maquette intérieure : Serge CORTESI, Sophie RIVOIRE, Uli MEINDL, Marie-Noëlle TILLIETTE

Responsable de fabrication : Marlène DELBEKEN

SOMMAIRE

Avant d'aborder l'œuvre

Pauca Meæ

Victor Hugo

Pour approfondir

AVANT D'ABORDER L'ŒUVRE

Fiche d'identité de l'auteur

Victor Hugo

Naissance : le 26 avril 1802, à Besançon (Doubs).

Famille : père officier supérieur, général d'Empire ; mère royaliste, « vendéenne ».

Formation : élève au couvent des Feuillantines (1809-1810 ; 1812-1813), à la pension Cordier (1815-1818) ; mention au concours de poésie de l'Académie française (1817) ; études de droit et de mathématiques spéciales (1818-1819).

Début de carrière : fondation d'un journal, *Le Conservateur littéraire* (1819). Octroi d'une pension royale en 1821. Création d'une nouvelle revue, *La Muse française* en 1823. Premier roman, *Han d'Islande* (1823). Chef de file du Cénacle romantique de 1824 à 1829 ; chevalier de la Légion d'honneur en 1825. Publications poétiques (*Odes et Ballades*, 1826 ; *Les Orientales*, 1829), théâtrales (*Cromwell*, 1827 ; *Marion de Lorme*, interdite en 1829), romanesques (*Bug-Jargal*, 1820 et 1826 ; *Le Dernier Jour d'un condamné*, 1829).

Premiers succès : très variés, parfois polémiques. Au théâtre, avec *Hernani* (1830), *Le roi s'amuse* (interdit après une représentation, 1832), *Lucrèce Borgia* (1833), *Marie Tudor* (id.), *Ruy Blas* (1838). Romans remarqués : *Notre-Dame de Paris* (1831), *Claude Gueux* (1834). En poésie : *Les Feuilles d'automne* (1831), *Les Chants du crépuscule* (1835), *Les Voix intérieures* (1837) et *Les Rayons et les Ombres* (1840).

Évolution de sa carrière littéraire et politique : élu à l'Académie française en 1841. Théâtre : *Les Burgraves* (1843).
- Entrée dans la vie politique. Devient pair de France en 1845, maire et député en 1848. Élu à l'Assemblée législative en 1849 (discours sur la misère). Exil du 11 décembre 1851 au 5 septembre 1870, par opposition à Napoléon III et à son régime politique, le second Empire : Bruxelles, Jersey (1852), Guernesey (1855), refus de l'amnistie (1859). Œuvres satiriques et polémiques : *Napoléon le Petit* (1852), *Châtiments* (1853), *Victor Hugo à Louis Bonaparte* (1855).
- Poésies : *Les Contemplations* (1856), *La Légende des siècles* (1859 et 1877).
- Romans : *Les Misérables* (1862), *Les Travailleurs de la mer* (1866), *L'Homme qui rit* (1869).
- Critique : *William Shakespeare* (1864). Hugo au congrès de la paix de Lausanne (1869).

Dernière partie de sa carrière : retour à Paris en 1870. Député. Démissionnaire en 1871. *Quatrevingt-treize*, roman (1874). Hugo sénateur en 1876. *L'Art d'être grand-père*, poésie (1877). Souvenirs personnels : *Mes fils* (1874) ; souvenirs politiques : *Actes et Paroles* (1875-1876). Dernière pièce de théâtre : *Torquemada* (1882).

Mort : le 22 mai 1885 à Paris. Obsèques nationales le 1er juin et inhumation au Panthéon. Œuvres posthumes : *La Fin de Satan* (1886), *Dieu* (1891).

Repères chronologiques

Vie et œuvre de Victor Hugo	Événements politiques et culturels
1802 Naissance à Besançon.	**1802** Chateaubriand, *René*.
	1804-1814 L'Empire.
1807-1808 Séjours en Italie.	**1810** Naissance d'Alfred de Musset.
1809-1818 Les Feuillantines et la pension Cordier.	**1814-1830** La Restauration.
	1815 Défaite de Waterloo.
1822 Mariage avec Adèle Foucher.	**1820** Lamartine, *Méditations poétiques*.
1824 Naissance de Léopoldine.	
1826 Naissance de Charles.	
1828 Naissance de François-Victor.	
1830 Naissance d'Adèle. Bataille d'*Hernani*.	**1830** Stendhal, *Le Rouge et le Noir*.
1833 Début de la liaison avec Juliette Drouet.	**1830-1848** La monarchie de Juillet.
1834 *Claude Gueux*.	
1835 *Les Chants du crépuscule*.	**1835-1837** Musset, *Les Nuits*.
1837 *Les Voix intérieures*.	
1840 *Les Rayons et les Ombres*.	

Repères chronologiques

Vie et œuvre de Victor Hugo	Événements politiques et culturels
1841 Élection à l'Académie française.	**1842-1848** Balzac, *La Comédie humaine*.
1843 Mariage et mort de Léopoldine.	
1845 Pair de France.	**1848** Révolution.
1851 Début de l'exil.	**1851-1870** Coup d'État de Napoléon III, le 2 décembre 1851. Le second Empire.
1853 *Châtiments*.	
1856 *Les Contemplations*.	**1857** Baudelaire, *Les Fleurs du mal*.
1859 *La Légende des siècles*, première édition.	
1862 *Les Misérables*.	
1870 Retour à Paris, après l'exil.	**1870** Début de la IIIe République.
1874 *Quatrevingt-treize*.	
1876 Sénateur.	
1883 Mort de Juliette Drouet.	**1882** Lois de Jules Ferry sur l'éducation.
1885 Mort à Paris.	**1885** Maupassant, *Bel Ami* ; Zola, *Germinal*.

11

Fiche d'identité de l'œuvre

Pauca Meæ

Genre : poésie autobiographique.

Auteur : Victor Hugo, en 1856.

Objets d'étude : la poésie du XIXe au XXe siècle ; du romantisme au surréalisme ; écriture poétique et quête du sens.

Registre : élégiaque.

Forme : poésie versifiée, majoritairement des alexandrins et des octosyllabes à rimes plates ou croisées.

Structure de « Pauca Meæ », livre IV des *Contemplations* :

• Prélude à la mort

I : innocence de la fille chérie, vertu de son mari et de son amour : des guides célestes dans l'aventure de la connaissance.

II : le mariage de Léopoldine : des noces funèbres ?

• La mort

« 4 septembre 1843 » : jour de la mort de Léopoldine. Le silence.

III : une vie de deuils : la mère, la fille. Face au désespoir, refus d'embrasser le rôle du poète-guide des hommes.

IV : le chagrin, du deuil jusqu'à la folie.

• Souvenirs intimes nostalgiques

V : regrets d'un père narrant le bonheur simple d'antan.

VI : évocation sublimée de Léopoldine enfant.

VII : lecture de Léopoldine à sa sœur Adèle.

IX : charmes du passé.

• **Sommet tragique du livre IV : entre Dieu et le néant**

VIII : interrogations existentielles sur la destinée.

X : quête de Léopoldine morte, dans le ciel.

XI : méditation sur la vie, le temps qui passe, la vanité humaine.

XII : pensée sur la mort.

XIII : tentation du suicide.

XIV : rendez-vous auprès de la défunte.

• **L'apaisement : un retour à Dieu, à l'amour**

XV : dépassement du deuil. Retour à Dieu.

XVI : vision atroce de la Mort qui s'ouvre sur une renaissance. De la Faucheuse à l'Ange.

XVII : hommage au gendre mort d'amour.

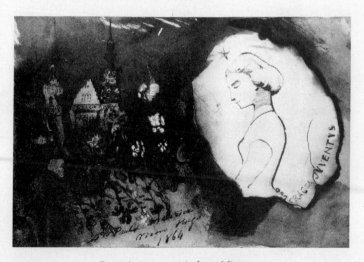

Fracta juventus ou « Le burg à l'ange ».
Dessin de Victor Hugo (1863), commémorant
le vingtième anniversaire de la mort de Léopoldine.

Pour mieux lire l'œuvre

✛ Le romantisme, reflet d'une époque troublée

Le moi dans l'Histoire

Du Consulat (1799-1804) à la révolution de 1848, le romantisme imprègne la pensée, la littérature et les arts en France. Il se caractérise par un lyrisme personnel dans lequel le moi exprime la destinée universelle de l'humanité. Avec Chateaubriand et Lamartine, le sujet cherche à communier avec la nature ; il est aussi en quête de son unité, brisée. Envahi par le « vague des passions » et « le mal du siècle », l'individu, solitaire et singulier, reflète une génération désenchantée qui a perdu ses idéaux et ses repères après les défaites napoléoniennes. Alfred de Musset évoque, dans *La Confession d'un enfant du siècle* (1836), cette désespérance et cette angoisse d'une jeunesse que plus rien n'exalte et qui sombre dans la mélancolie ou la débauche. La fracture entre le moi et l'Histoire semble irrévocable.

Les romantiques, pour échapper au présent, s'enfoncent avec nostalgie dans les terres lointaines du passé. Ils se tournent vers le Moyen Âge, exaltent sa naïveté, ses croyances et ses mystères qui contrastent avec le scientisme et le matérialisme ambiants. Ils s'évadent aussi de leur époque en cherchant l'exotisme (le jeune Hugo compose ainsi *Les Orientales* en 1829). Ils se révoltent et s'engagent dans les grands combats du siècle, tel Lamartine dans sa « Marseillaise de la paix » (1841).

Une libération de l'art

En littérature, le romantisme assouplit les règles classiques et exprime la complexité du monde. La Préface de *Cromwell*, composée par Victor Hugo en 1827, forme le manifeste du théâtre romantique. L'auteur rejette la séparation artificielle entre la comédie et la tragédie ; il préconise le mélange des genres, l'harmonie des contraires, conditions d'une peinture totale de la réalité. Il condamne les unités de temps et de lieu, particulièrement invraisemblables. Il admet seulement l'unité d'action, qu'il renomme « unité d'ensemble », révélant l'importance pour le spectateur d'une intrigue principale reconnaissable autour de laquelle gravitent des actions secondaires. Cet art dramatique voit le jour sur scène avec *Hernani*. Le 25 février 1830, à la première représentation de la pièce, une véritable bataille littéraire éclate ; les classiques s'indignent ; les jeunes romantiques, Gérard de Nerval ou Théophile Gautier, défendent la pièce avec ardeur et assurent son triomphe.

Si Hugo est le père du théâtre romantique, Musset et Vigny le font aussi vivre pleinement. Musset s'écarte de toute convention scénique pour donner libre cours à l'imagination et au rêve et fait naître le concept du « Spectacle dans un fauteuil » avec *Lorenzaccio* (1834), drame romantique et historique. Alfred de Vigny, après avoir adapté des pièces de Shakespeare comme *Othello* (1829), fait connaître ses lettres de noblesse au théâtre romantique : *Chatterton* (1835) est un drame universel de la pensée et une tragédie de l'amour. Le drame romantique est drame de l'intériorité.

Le romantisme traverse aussi les genres narratifs ; le roman est polymorphe. Historique, il peut être roman d'aventures, personnel, rustique ou humanitaire et social. Comme le conte, il peut faire intervenir le surnaturel. Dans tous les genres, le romantisme se caractérise par une extrême plasticité qui lui permet d'exprimer la variété du monde et de la vie intérieure.

Pour mieux lire l'œuvre

❖ *Les Contemplations*, recueil romantique ?

L'œuvre d'une vie

« [...] les *Contemplations* seront ma grande pyramide » confie Hugo à l'éditeur Hetzel le 31 mai 1855. Le recueil est un monument, « pyramide » ou « tombeau » d'une vie mouvementée. Il s'élabore progressivement. L'auteur y pense dès 1836 et envisage un premier titre : *Les Contemplations d'Olympio*. Des poèmes de circonstance s'accumulent en portefeuille, assez nombreux pour qu'en 1848, Hugo mentionne comme titre *Les Contemplations*.

« Vingt-cinq années » séparent les deux volumes du recueil, écrit-il dans la Préface. En réalité, l'intervalle entre les premiers poèmes écrits à l'époque des *Chants du crépuscule* (1835), avant la mort de Léopoldine, et les derniers, n'équivaut pas exactement à un quart de siècle. La plupart sont conçus entre 1846 et 1855 à Jersey, pendant l'exil. Le recueil achève une longue période de silence lyrique commencée juste après *Les Rayons et les Ombres* (1840). Victor Hugo s'est consacré pendant ce temps à des écrits politiques, un *Discours à la Chambre des pairs* (1846), un article acerbe sur *Napoléon le Petit* (1852) et il a produit les *Châtiments* (1853) contre Napoléon III. Toutes ces publications n'expriment pas entièrement l'homme qu'il est alors : « Après l'effet rouge, l'effet bleu » (lettre à Paul Meurice, 21 février 1854) ; au « rouge » de l'indignation et des luttes républicaines succède « le bleu », azur des poètes, nuance de la souffrance lyrique du sujet.

Poésie autobiographique ou mystique ?

Les Contemplations retracent les mille impressions et souvenirs d'une âme. L'auteur n'y est toutefois pas replié sur lui-même comme dans une confession. Il élargit son horizon personnel pour atteindre l'humanité. Ces « Mémoires d'une âme » tendent au lecteur un miroir de son intériorité. « Ah ! Insensé, qui crois que je ne suis pas toi » s'exclame l'auteur dans sa Préface, révélant l'universalité de son recueil.

Les dates jalonnent la vie intérieure dont l'autobiographie poétique recompose et ordonne les grandes étapes. Toutefois, si la chronologie figure dans les deux parties des *Contemplations*, la seconde échappe à une datation strictement réaliste, s'inscrivant dans le temps mythique de la mort. Elle s'achève au-delà du temps humain, « au bord de l'infini » divin.

« Contempler », étymologiquement, c'est observer une partie du ciel, le *templum* afin d'y consulter les auspices et d'y lire la volonté des dieux. Le poète rêve, se tourne vers le ciel, les étoiles, scrute l'infini, « savoure l'immensité sacrée » comme un « pâtre » visionnaire. Inspiré, il reçoit en lui le souffle de Dieu. *Les Contemplations* cherchent « au premier coup d'œil, une foule d'harmonies secrètes, fils invisibles de la création », toutes reliées entre elles imperceptiblement, formant « les racines mêmes de l'être » (*En Voyage*, II, 1890, posthume). Le génie poétique permet de décrypter l'énigme de l'homme et du monde, et accède à leur vérité au-delà des apparences. Sa lumière dissipe les ombres et les ténèbres de l'ignorance. Le poète se fait « voyant » avant Rimbaud et atteint le mystère des choses par une série de déchiffrements (Mallarmé), leur communiquant une âme. Accomplissement du romantisme, *Les Contemplations* préfigurent aussi la modernité poétique.

La structure du recueil

Encadré par deux poèmes-dédicaces, « À ma fille » et « À celle qui est restée en France », le recueil des *Contemplations* comporte 156 poèmes de longueur très variable. Le livre, en forme de diptyque, oppose deux parties autour de la mort de Léopoldine, l'absente rendue présente par la magie incantatoire de la parole poétique.

« Autrefois » (1830-1843) et « Aujourd'hui » (1843-1855) contiennent trois livres chacun. Les 77 poèmes de « Autrefois » sont probablement

Pour mieux lire l'œuvre

tous écrits avant 1843. Ils se répartissent en trois livres : « Aurore », « L'Âme en fleur », « Les Luttes et les rêves ». Les deux premiers sont placés sous le signe de la lumière et du bonheur. Le premier évoque l'adolescence ; le second, les amours de jeunesse ; le troisième renferme les engagements et les combats du poète depuis 1840.

« Aujourd'hui », composé de 59 poèmes, comporte trois livres : « Pauca Meæ »[1], « En marche », « Au bord de l'infini ». De teinte sombre, il contient des pièces marquées par le deuil, la solitude, l'exil, le souvenir et la méditation sur la mort. La veine élégiaque se convertit en lyrisme cosmique.

Entre les deux tomes, « Un abîme [...], le tombeau ». Le recueil passe, d'un volume à l'autre, de « l'espérance » au « deuil » en laissant cependant entrevoir in extremis « l'azur d'un monde meilleur », plus vaste ; la douleur de la perte trouve sa place dans le large horizon de la vie. *Les Contemplations* forment le livre d'une morte, la fille disparue, aimée et célébrée. Ce livre est aussi celui d'un homme mort au monde, arraché à jamais à son passé heureux, à sa terre, brisé par le deuil et l'exil. Ces « Mémoires d'une âme » sont des « Mémoires d'outre-tombe ».

---

1. « Quelques vers pour ma chère fille » : Hugo fait référence au poète latin Virgile, dans la dixième des *Bucoliques*, qui écrivait : « *Pauca meo Gallo [...] carmina sunt dicenda* », « Je dois chanter quelques vers pour mon cher Gallus ». La formule employée par Hugo n'indique pas le nom de sa fille, comme s'il était évident qu'il ne pouvait écrire que pour elle dans ce recueil. Le titre pourrait aussi être traduit par « Quelques vers à propos de ma fille ».

En choisissant d'orthographier *Meæ* plutôt que *Meae* (comme le voudrait l'usage en latin), nous suivons ici la graphie adoptée par Hugo dans son manuscrit conservé à la Bibliothèque nationale de France.

Victor Hugo « autrefois » (1828) et « aujourd'hui » (vers 1855).
Gravure d'Henri Thiriat et d'Eugène Ronjat.

Pour mieux lire l'œuvre

✥ « Pauca Meæ » dans *Les Contemplations*

Une vie de deuils

Très tôt, la mort enlève à Victor Hugo des êtres chers à son cœur. « À vingt ans, deuil et solitude » note-t-il dans « Pauca Meæ », faisant référence à la mort de sa mère. Son jeune frère Léopold meurt en 1823. L'hécatombe se poursuit avec la perte de son père, le général Hugo, en 1828, et celle de son frère Eugène, en 1837.

La mort brutale de Léopoldine réactive tous ces deuils et symbolise le malheur de la vie. La jeune fille célèbre son mariage le 15 février 1843 avec Charles Vacquerie. Le couple semble promis au bonheur. En juillet, Hugo s'embarque avec sa maîtresse Juliette Drouet dans un voyage qui l'éloigne de sa fille. Le 4 septembre, la barque qui ramène Charles et Léopoldine de Caudebec-en-Caux à Villequier est retournée par une rafale sur la Seine. La jeune femme se débat en vain contre la noyade. Son époux, voyant son sort funeste, se laisse périr avec elle. Victor Hugo ressent un pressentiment inexplicable dans la nuit du 4 au 5 septembre, mais il n'apprend la terrible nouvelle que le 9 septembre par le journal. Il reste « comme fou » (IV, 4), anéanti par le chagrin.

En 1846, il reprend l'écriture, après trois années de silence. Il est alors marqué par un autre deuil, celui de Claire Pradier, âgée de vingt ans, la fille de sa maîtresse Juliette Drouet. Cette mort fait écho à celle de sa fille chérie.

« Pauca Meæ », un tombeau

Le livre IV « Pauca Meæ » ouvre la seconde partie des *Contemplations*. Le titre en latin renvoie aux *Bucoliques* (X, v. 2-3) de Virgile et signifie « quelques vers *(pauca)* pour ma chère fille *(meæ)* ». Le poète latin rendait ainsi hommage au poète élégiaque Gallus et à sa Muse, Lycoris. Le livre se réclame donc de la poésie antique et de l'élégie, une plainte lyrique propre au deuil.

Portrait de Charles Vacquerie et de sa femme Léopoldine Hugo.
Dessin d'Adèle Hugo (1803-1868).

Dans « Pauca Meæ » consacré à la mémoire de Léopoldine, le poète célèbre le paradis perdu d'un père comblé par ses enfants, le drame humain de la mort, la fidélité inaliénable à la disparue. Léopoldine est la Muse, l'ange qui conduit son père à mieux comprendre la condition humaine.

Au-delà de la souffrance intime, le poète médite sur les grandes questions existentielles qui agitent l'homme : l'immortalité de l'âme, le problème du mal, le destin de l'humanité et du monde. À la lumière d'une réflexion sur le deuil et sur sa propre mort, il ordonne sa vie, donne sens aux événements qui la composent et s'achemine vers une vérité supérieure. Il transcende la mort comme Orphée affrontant les Enfers.

Portrait de Léopoldine Hugo.
Dessin de Louis Boulanger (1806-1867).

Pauca Meæ[*]

Aujourd'hui (1843-1855)
Livre IV des *Contemplations*

Victor Hugo

* Voir note 1 page18.

I

Pure Innocence[1] ! Vertu[2] sainte !
Ô les deux sommets[3] d'ici-bas !
Où croissent, sans ombre et sans crainte,
Les deux palmes[4] des deux combats !

5   Palme du combat Ignorance !
Palme du combat Vérité !
L'âme, à travers sa transparence,
Voit trembler leur double clarté.

Innocence ! Vertu ! sublimes
10   Même pour l'œil mort du méchant !
On voit dans l'azur ces deux cimes[5],
L'une au levant, l'autre au couchant.

Elles guident la nef[6] qui sombre[7] ;
L'une est phare, et l'autre est flambeau ;
15   L'une a le berceau dans son ombre,
L'autre en son ombre a le tombeau.

---

1. **Innocence :** Léopoldine l'incarne dans tout le recueil. Étymologiquement, ce mot signifie « qui ne nuit point », « qui ne commet pas le mal ».
2. **Vertu :** Charles, le mari de Léopoldine, incarne cette qualité, qui signifie « force morale, courage ».
3. Les deux qualités, que le poète évoque à la fin du livre III, permettent de s'élever jusqu'à la lumière de la Connaissance.
4. **Palmes :** victoires.
5. **Cimes :** sommets.
6. **Nef :** bateau.
7. **Sombre :** coule.

C'est sous la terre infortunée
Que commence, obscure à nos yeux,
La ligne de la destinée ;
20   Elles l'achèvent dans les cieux.

Elles montrent, malgré les voiles[1]
Et l'ombre du fatal milieu,
Nos âmes touchant les étoiles
Et la candeur[2] mêlée au bleu.

25   Elles éclairent les problèmes ;
Elles disent le lendemain ;
Elles sont les blancheurs suprêmes
De tout le sombre gouffre humain.

L'archange[3] effleure de son aile
30   Ce faîte[4] où Jéhovah[5] s'assied ;
Et sur cette neige éternelle
On voit l'empreinte d'un seul pied.

Cette trace qui nous enseigne,
Ce pied blanc, ce pied fait de jour,
35   Ce pied rose, hélas ! car il saigne,
Ce pied nu, c'est le tien, amour !

Janvier 1843.[6]

---

1. **Voiles** : tissus qui cachent, dérobent à la vue.
2. **Candeur** : innocence.
3. **Archange** : ange d'un ordre supérieur (Gabriel, Michel et Raphaël).
4. **Faîte** : sommet.
5. **Jéhovah** : autre nom de Dieu (écrit YHWH dans l'Ancien Testament).
6. Le poème a, en réalité, été écrit en 1855 ; Hugo le situe, pour son lecteur, au début de l'année de la mort de Léopoldine.

II

15 FÉVRIER 1843[1]

AIME celui qui t'aime, et sois heureuse en lui.
– Adieu ! – sois son trésor, ô toi qui fus le nôtre !
Va, mon enfant béni, d'une famille à l'autre.
Emporte le bonheur et laisse-nous l'ennui !

5   Ici, l'on te retient ; là-bas, on te désire.
Fille, épouse, ange, enfant, fais ton double devoir.
Donne-nous un regret, donne-leur un espoir,
Sors avec une larme ! entre avec un sourire !

Dans l'église, 15 février 1843.

---

1. Date du mariage de Léopoldine et de Charles.

4 SEPTEMBRE 1843[1]

....

---

1. Jour de la noyade de Léopoldine et de Charles, qui tentait de la sauver, dans la Seine. La douleur rend le poète incapable de s'exprimer, comme l'indique la ligne de points.

III

TROIS ANS APRÈS[1]

Iʟ est temps que je me repose ;
Je suis terrassé[2] par le sort.
Ne me parlez pas d'autre chose
Que des ténèbres où l'on dort !

5   Que veut-on que je recommence ?
Je ne demande désormais
À la création immense
Qu'un peu de silence et de paix !

Pourquoi m'appelez-vous encore ?
10   J'ai fait ma tâche et mon devoir.
Qui travaillait avant l'aurore,
Peut s'en aller avant le soir.

À vingt ans, deuil et solitude !
Mes yeux, baissés vers le gazon[3],
15   Perdirent la douce habitude
De voir ma mère à la maison.

Elle nous quitta pour la tombe ;
Et vous savez bien qu'aujourd'hui
Je cherche, en cette nuit qui tombe,
20   Un autre ange[4] qui s'est enfui !

---

1. Hugo sous-entend qu'il a fallu trois ans après le drame pour qu'il puisse écrire à ce sujet.
2. **Terrassé :** écrasé, jeté à terre.
3. **Vers le gazon :** vers la tombe de sa mère, morte quand il avait dix-neuf ans.
4. **Un autre ange :** Léopoldine.

Vous savez que je désespère,
Que ma force en vain se défend,
Et que je souffre comme père,
Moi qui souffris tant comme enfant !

25 Mon œuvre n'est pas terminée,
Dites-vous. Comme Adam banni[1],
Je regarde ma destinée,
Et je vois bien que j'ai fini.

L'humble enfant que Dieu m'a ravie[2]
30 Rien qu'en m'aimant savait m'aider ;
C'était le bonheur de ma vie
De voir ses yeux me regarder.

Si ce Dieu n'a pas voulu clore
L'œuvre qu'il me fit commencer,
35 S'il veut que je travaille encore,
Il n'avait qu'à me la laisser !

Il n'avait qu'à me laisser vivre
Avec ma fille à mes côtés,
Dans cette extase où je m'enivre
40 De mystérieuses clartés !

Ces clartés, jour d'une autre sphère,
Ô Dieu jaloux, tu nous les vends !
Pourquoi m'as-tu pris la lumière
Que j'avais parmi les vivants ?

---

1. **Adam banni :** chassé du paradis après avoir goûté aux fruits de la Connaissance, Adam doit travailler tout comme Hugo doit reprendre son œuvre.
2. **Ravie :** enlevée.

45 As-tu donc pensé, fatal maître,
Qu'à force de te contempler[1],
Je ne voyais plus ce doux être,
Et qu'il pouvait bien s'en aller ?

T'es-tu dit que l'homme, vaine ombre,
50 Hélas ! perd son humanité
À trop voir cette splendeur sombre
Qu'on appelle la vérité ?

Qu'on peut le frapper sans qu'il souffre,
Que son cœur est mort dans l'ennui,
55 Et qu'à force de voir le gouffre,
Il n'a plus qu'un abîme en lui ?

Qu'il va, stoïque[2], où tu l'envoies,
Et que désormais, endurci,
N'ayant plus ici-bas de joies,
60 Il n'a plus de douleurs aussi ?

As-tu pensé qu'une âme tendre
S'ouvre à toi pour se mieux fermer,
Et que ceux qui veulent comprendre
Finissent par ne plus aimer ?

65 Ô Dieu ! vraiment, as-tu pu croire
Que je préférais, sous les cieux,
L'effrayant rayon de ta gloire
Aux douces lueurs de ses yeux ?

---

1. **Contempler :** ce verbe renvoie au titre du recueil. À force d'avoir fait communier son âme avec Dieu, le poète s'est détourné de sa fille et a oublié qu'elle pouvait disparaître à tout moment. Le ton est, ici, à la fois celui de la révolte contre le Créateur et celui de la culpabilité face à Léopoldine.
2. **Stoïque :** insensible à la douleur.

Si j'avais su tes lois moroses[1],
70 Et qu'au même esprit enchanté
Tu ne donnes point ces deux choses,
Le bonheur et la vérité,

Plutôt que de lever tes voiles,
Et de chercher, cœur triste et pur,
75 À te voir au fond des étoiles,
Ô Dieu sombre d'un monde obscur,

J'eusse aimé mieux, loin de ta face[2],
Suivre, heureux, un étroit chemin,
Et n'être qu'un homme qui passe
80 Tenant son enfant par la main !

Maintenant, je veux qu'on me laisse !
J'ai fini ! le sort est vainqueur.
Que vient-on rallumer sans cesse
Dans l'ombre qui m'emplit le cœur ?

85 Vous qui me parlez, vous me dites
Qu'il faut, rappelant ma raison,
Guider les foules décrépites[3]
Vers les lueurs de l'horizon ;

Qu'à l'heure où les peuples se lèvent,
90 Tout penseur suit un but profond ;
Qu'il se doit à tous ceux qui rêvent,
Qu'il se doit à tous ceux qui vont !

---

1. **Moroses** : tristes.
2. **Face** : visage.
3. **Décrépites** : usées.

Qu'une âme, qu'un feu pur anime,
Doit hâter, avec sa clarté,
95   L'épanouissement sublime
De la future humanité ;

Qu'il faut prendre part, cœurs fidèles,
Sans redouter les océans,
Aux fêtes des choses nouvelles,
100   Aux combats des esprits géants !

Vous voyez des pleurs sur ma joue,
Et vous m'abordez mécontents,
Comme par le bras on secoue
Un homme qui dort trop longtemps.

105   Mais songez à ce que vous faites !
Hélas ! cet ange au front si beau,
Quand vous m'appelez à vos fêtes,
Peut-être a froid dans son tombeau.

Peut-être, livide et pâlie,
110   Dit-elle dans son lit étroit :
« Est-ce que mon père m'oublie
« Et n'est plus là, que j'ai si froid ? »[1]

Quoi ! lorsqu'à peine je résiste
Aux choses dont je me souviens,
115   Quand je suis brisé, las[2] et triste,
Quand je l'entends qui me dit : « Viens ! »

---

1. La syntaxe commune serait : « Est-ce *parce* que mon père m'oublie / Et n'est plus là, que j'ai si froid ? »
2. **Las** : fatigué.

Quoi ! vous voulez que je souhaite,
Moi, plié par un coup soudain,
La rumeur qui suit le poëte[1],
120   Le bruit que fait le paladin[2] !

Vous voulez que j'aspire encore
Aux triomphes doux et dorés !
Que j'annonce aux dormeurs l'aurore !
Que je crie : « Allez ! espérez ! »

125   Vous voulez que, dans la mêlée,
Je rentre ardent parmi les forts,
Les yeux à la voûte étoilée...[3] —
Oh ! l'herbe épaisse où sont les morts !

Novembre 1846.

---

1. Graphie de « poète » utilisée jusqu'à la fin du XIXe siècle.
2. **Paladin :** défenseur des justes.
3. De nouveau, les points de suspension matérialisent le mutisme du poète face à la mort.

IV

Oн ! je fus comme fou dans le premier moment,
Hélas ! et je pleurai trois jours amèrement.
Vous tous à qui Dieu prit votre chère espérance,
Pères, mères, dont l'âme a souffert ma souffrance,
5   Tout ce que j'éprouvais, l'avez-vous éprouvé ?
Je voulais me briser le front sur le pavé ;
Puis je me révoltais, et, par moments, terrible,
Je fixais mes regards sur cette chose horrible,
Et je n'y croyais pas, et je m'écriais : Non !
10   — Est-ce que Dieu permet de ces malheurs sans nom
Qui font que dans le cœur le désespoir se lève ? —
Il me semblait que tout n'était qu'un affreux rêve,
Qu'elle ne pouvait pas m'avoir ainsi quitté,
Que je l'entendais rire en la chambre à côté,
15   Que c'était impossible enfin qu'elle fût morte,
Et que j'allais la voir entrer par cette porte !

Oh ! que de fois j'ai dit : Silence ! elle a parlé !
Tenez ! voici le bruit de sa main sur la clé !
Attendez ! elle vient ! laissez-moi, que j'écoute !
20   Car elle est quelque part dans la maison sans doute !

Jersey, Marine-Terrace[1],
4 septembre 1852.

---

1. **Marine-Terrace :** nom de la maison où habita Hugo pendant son exil politique sur l'île de Jersey, entre 1852 et 1855.

V

ELLE avait pris ce pli[1] dans son âge enfantin
De venir dans ma chambre un peu chaque matin ;
Je l'attendais ainsi qu'un rayon qu'on espère ;
Elle entrait et disait : « Bonjour, mon petit père » ;
5   Prenait ma plume, ouvrait mes livres, s'asseyait
Sur mon lit, dérangeait mes papiers, et riait,
Puis soudain s'en allait comme un oiseau qui passe.
Alors, je reprenais, la tête un peu moins lasse,
Mon œuvre interrompue, et, tout en écrivant,
10   Parmi mes manuscrits je rencontrais souvent
Quelque arabesque[2] folle et qu'elle avait tracée,
Et mainte page blanche entre ses mains froissée
Où, je ne sais comment, venaient mes plus doux vers.
Elle aimait Dieu, les fleurs, les astres, les prés verts,
15   Et c'était un esprit avant d'être une femme.
Son regard reflétait la clarté de son âme.
Elle me consultait sur tout à tous moments.
Oh ! que de soirs d'hiver radieux et charmants,
Passés à raisonner langue, histoire et grammaire,
20   Mes quatre enfants[3] groupés sur mes genoux, leur mère[4]
Tout près, quelques amis causant au coin du feu !
J'appelais cette vie être content de peu !
Et dire qu'elle est morte ! hélas ! que Dieu m'assiste !

---

1. **Pli :** habitude.
2. **Arabesque :** dessin aux lignes courbes.
3. Léopoldine, Charles, François-Victor et Adèle.
4. Adèle Foucher a épousé Hugo en 1822 ; les enfants sont nés entre 1824 et 1830.

Je n'étais jamais gai quand je la sentais triste ;
25 J'étais morne au milieu du bal le plus joyeux
Si j'avais, en partant, vu quelque ombre en ses yeux.

Novembre 1846,
jour des Morts.

VI

QUAND nous habitions tous ensemble
Sur nos collines d'autrefois,
Où l'eau court, où le buisson tremble,
Dans la maison qui touche aux bois[1],

5   Elle avait dix ans, et moi trente[2] ;
J'étais pour elle l'univers.
Oh ! comme l'herbe est odorante
Sous les arbres profonds et verts !

Elle faisait mon sort prospère[3],
10   Mon travail léger, mon ciel bleu.
Lorsqu'elle me disait : Mon père,
Tout mon cœur s'écriait : Mon Dieu !

À travers mes songes[4] sans nombre,
J'écoutais son parler joyeux,
15   Et mon front s'éclairait dans l'ombre
À la lumière de ses yeux.

Elle avait l'air d'une princesse
Quand je la tenais par la main ;
Elle cherchait des fleurs sans cesse
20   Et des pauvres dans le chemin.

---

1. La maison des Roches, à Bièvres, a accueilli Hugo à de nombreuses reprises, notamment en 1834 et en 1835 avec sa famille.
2. En réalité, il y a vingt-deux ans de différence d'âge entre eux.
3. **Prospère :** heureux.
4. **Songes :** rêveries.

Elle donnait comme on dérobe[1],
En se cachant aux yeux de tous.
Oh ! la belle petite robe
Qu'elle avait, vous rappelez-vous ?

25   Le soir, auprès de ma bougie,
Elle jasait[2] à petit bruit,
Tandis qu'à la vitre rougie
Heurtaient[3] les papillons de nuit.

Les anges se miraient[4] en elle.
30   Que son bonjour était charmant !
Le ciel mettait dans sa prunelle
Ce regard qui jamais ne ment.

Oh ! je l'avais, si jeune encore,
Vue apparaître en mon destin !
35   C'était l'enfant de mon aurore,
Et mon étoile du matin !

Quand la lune claire et sereine
Brillait aux cieux, dans ces beaux mois,
Comme nous allions dans la plaine !
40   Comme nous courions dans les bois !

Puis, vers la lumière isolée
Étoilant le logis obscur,
Nous revenions par la vallée
En tournant le coin du vieux mur ;

---

1. **Comme on dérobe :** comme on vole.
2. **Jasait :** parlait.
3. **Heurtaient :** frappaient.
4. **Se miraient :** se reflétaient.

45   Nous revenions, cœurs pleins de flamme,
En parlant des splendeurs du ciel.
Je composais[1] cette jeune âme
Comme l'abeille fait son miel.

Doux ange aux candides[2] pensées,
50   Elle était gaie en arrivant...[3] –
Toutes ces choses sont passées
Comme l'ombre et comme le vent !

Villequier[4],
4 septembre 1844.

---

1. **Composais :** formais.
2. **Candides :** pures.
3. De nouveau, les points de suspension marquent un arrêt, ici celui du souvenir heureux.
4. Léopoldine s'est noyée près de Villequier (en Normandie).

VII

ELLE était pâle, et pourtant rose,
Petite avec de grands cheveux.
Elle disait souvent : Je n'ose,
Et ne disait jamais : Je veux.

5 Le soir, elle prenait ma Bible
Pour y faire épeler sa sœur[1],
Et, comme une lampe paisible,
Elle éclairait ce jeune cœur.

Sur le saint livre que j'admire,
10 Leurs yeux purs venaient se fixer ;
Livre où l'une apprenait à lire,
Où l'autre apprenait à penser !

Sur l'enfant, qui n'eût pas lu seule,
Elle penchait son front charmant,
15 Et l'on aurait dit une aïeule
Tant elle parlait doucement !

Elle lui disait : « Sois bien sage ! »
Sans jamais nommer le démon ;
Leurs mains erraient de page en page
20 Sur Moïse[2] et sur Salomon[3],

---

1. Elle apprenait à lire à sa sœur Adèle.
2. Moïse, le prophète, guida les Hébreux hors d'Égypte et aurait écrit, sous inspiration divine, les cinq premiers livres de la Bible.
3. Salomon, roi hébreux, est célèbre pour sa sagesse et son sens de la justice.

Sur Cyrus qui vint de la Perse[1],
Sur Moloch[2] et Léviathan[3],
Sur l'enfer que Jésus traverse,
Sur l'éden où rampe Satan[4].

25   Moi, j'écoutais... – Ô joie immense
De voir la sœur près de la sœur !
Mes yeux s'enivraient en silence
De cette ineffable[5] douceur.

Et dans la chambre humble et déserte
30   Où nous sentions, cachés tous trois,
Entrer par la fenêtre ouverte
Les souffles des nuits et des bois,

Tandis que, dans le texte auguste[6],
Leurs cœurs, lisant avec ferveur[7],
35   Puisaient le beau, le vrai, le juste,
Il me semblait, à moi, rêveur,

Entendre chanter des louanges
Autour de nous, comme au saint lieu[8],
Et voir sous les doigts de ces anges
40   Tressaillir le livre de Dieu !

Octobre 1846.

---

1. Cyrus le Grand, fondateur de l'Empire perse, autorisa le retour des Judéens à Jérusalem et ordonna la reconstruction de leur temple.
2. Dieu auquel les Ammonites, un des peuples de la Bible, sacrifiaient leurs premiers-nés, ce que Moïse leur interdit à plusieurs reprises.
3. Monstre souvent marin et tenant du serpent, du dragon ou du crocodile, associé au mal et devant être vaincu par les Justes.
4. Satan pénètre dans le paradis (l'Éden) sous la forme du serpent tentateur.
5. **Ineffable :** indescriptible.
6. **Auguste :** sacré.
7. **Ferveur :** passion et foi.
8. **Comme au saint lieu :** comme dans une église.

VIII

À qui donc sommes-nous ? Qui nous a ? qui nous mène ?
Vautour fatalité[1], tiens-tu la race humaine ?
      Oh ! parlez, cieux vermeils[2],
L'âme sans fond tient-elle aux étoiles sans nombre ?
5   Chaque rayon d'en haut est-il un fil de l'ombre
      Liant l'homme aux soleils ?

Est-ce qu'en nos esprits, que l'ombre a pour repaires[3],
Nous allons voir rentrer les songes de nos pères ?
      Destin, lugubre assaut !
10   Ô vivants, serions-nous l'objet d'une dispute ?
L'un veut-il notre gloire, et l'autre notre chute ?[4]
      Combien sont-ils là-haut ?

Jadis, au fond du ciel, aux yeux du mage sombre,
Deux joueurs effrayants apparaissaient dans l'ombre.
15   Qui craindre ? qui prier ?
Les Manès[5] frissonnants, les pâles Zoroastres[6]
Voyaient deux grandes mains qui déplaçaient les astres
      Sur le noir échiquier.

---

1. **Vautour fatalité :** allégorie de la fatalité en vautour, rapace se nourrissant de carcasses d'animaux morts.
2. **Vermeils :** d'un rouge vif relativement foncé.
3. **Repaires :** refuges.
4. « L'un » et « l'autre » désignent deux entités opposées, dans la doctrine manichéenne, combattant dans le monde pour mener l'homme vers le bien (« notre gloire ») ou vers le mal (« notre chute »).
5. Manès (ou Mani) est un penseur iranien du IIIe siècle, fondateur du manichéisme.
6. Zoroastre (ou Zarathoustra) fonda en Perse, au VIe siècle avant Jésus-Christ, le mazdéisme, première religion monothéiste, dans laquelle il décrit la lutte entre le royaume de la Lumière et celui des Ténèbres. Le manichéisme s'en inspire fortement.

Songe horrible ! le bien, le mal, de cette voûte
20 Pendent-ils sur nos fronts ? Dieu, tire-moi du doute !
　　　　Ô sphinx[1], dis-moi le mot !
Cet affreux rêve pèse à nos yeux qui sommeillent,
Noirs vivants ! heureux ceux qui tout à coup s'éveillent
　　　　Et meurent en sursaut !

Villequier, 4 septembre 1845.

---

1. **Sphinx :** monstre au buste de femme, au corps de chat et aux ailes d'oiseau, qui, dans la mythologie grecque, pose à tous les passants une énigme que seul Œdipe a su résoudre.

IX

Ô SOUVENIRS ! printemps ! aurore !
Doux rayon triste et réchauffant !
— Lorsqu'elle était petite encore,
Que sa sœur était tout enfant... —[1]

5   Connaissez-vous sur la colline
Qui joint Montlignon à Saint-Leu,
Une terrasse qui s'incline
Entre un bois sombre et le ciel bleu ?[2]

C'est là que nous vivions. — Pénètre,
10 Mon cœur, dans ce passé charmant ! —
Je l'entendais sous ma fenêtre
Jouer le matin doucement.

Elle courait dans la rosée,
Sans bruit, de peur de m'éveiller ;
15 Moi, je n'ouvrais pas ma croisée[3],
De peur de la faire envoler.

Ses frères[4] riaient... — Aube pure !
Tout chantait sous ces frais berceaux[5],
Ma famille avec la nature,
20 Mes enfants avec les oiseaux ! —

---

1. Adèle avait six ans de moins que Léopoldine.
2. Il s'agit probablement du château de la Terrasse, près de la forêt de Montmorency,
   où la famille séjourna en 1840. Léopoldine avait alors seize ans.
3. **Croisée :** fenêtre.
4. Charles et François-Victor.
5. **Berceaux :** voûtes de feuillages.

Je toussais, on devenait brave[1] ;
Elle montait à petits pas,
Et me disait d'un air très grave :
« J'ai laissé les enfants en bas. »

25   Qu'elle fût bien ou mal coiffée,
Que mon cœur fût triste ou joyeux,
Je l'admirais. C'était ma fée,
Et le doux astre de mes yeux !

Nous jouions toute la journée.
30   Ô jeux charmants ! chers entretiens[2] !
Le soir, comme elle était l'aînée,
Elle me disait : « Père, viens !

« Nous allons t'apporter ta chaise,
« Conte-nous une histoire, dis ! » —
35   Et je voyais rayonner d'aise
Tous ces regards du paradis.

Alors, prodiguant les carnages[3],
J'inventais un conte profond
Dont je trouvais les personnages
40   Parmi les ombres du plafond.

Toujours, ces quatre douces têtes
Riaient, comme à cet âge on rit,
De voir d'affreux géants très bêtes
Vaincus par des nains pleins d'esprit.

---

1. **Brave :** courageux.
2. **Entretiens :** conversations.
3. **Prodiguant les carnages :** créant à volonté des massacres, des batailles.

45 J'étais l'Arioste[1] et l'Homère[2]
    D'un poëme éclos d'un seul jet[3] ;
    Pendant que je parlais, leur mère
    Les regardait rire, et songeait.

    Leur aïeul, qui lisait dans l'ombre,
50 Sur eux parfois levait les yeux,
    Et, moi, par la fenêtre sombre
    J'entrevoyais un coin des cieux !

Villequier, 4 septembre 1846.

---

1. **L'Arioste** : poète italien de la Renaissance, célébré pour son poème épique *Roland furieux*.
2. **Homère** : auteur présumé de *L'Iliade* et *L'Odyssée*, épopées en vers du VIIIe siècle avant Jésus-Christ.
3. D'un poème créé en une seule fois.

47

X

PENDANT que le marin, qui calcule et qui doute,
Demande son chemin aux constellations ;
Pendant que le berger, l'œil plein de visions,
Cherche au milieu des bois son étoile et sa route ;
5   Pendant que l'astronome, inondé de rayons,

Pèse un globe[1] à travers des millions de lieues[2],
Moi, je cherche autre chose en ce ciel vaste et pur.
Mais que ce saphir sombre est un abîme obscur !
On ne peut distinguer, la nuit, les robes bleues
10   Des anges frissonnants qui glissent dans l'azur.

Avril 1847.

---

1. **Pèse un globe :** évalue la taille d'un astre.
2. **Lieue :** ancienne mesure valant environ 4 km.

XI

On vit, on parle, on a le ciel et les nuages
Sur la tête ; on se plaît aux livres des vieux sages ;
On lit Virgile[1] et Dante[2] ; on va joyeusement
En voiture publique[3] à quelque endroit charmant,
5   En riant aux éclats de l'auberge et du gîte ;
Le regard d'une femme en passant vous agite ;
On aime, on est aimé, bonheur qui manque aux rois !
On écoute le chant des oiseaux dans les bois ;
Le matin, on s'éveille, et toute une famille
10 Vous embrasse, une mère, une sœur, une fille !
On déjeune en lisant son journal. Tout le jour
On mêle à sa pensée espoir, travail, amour ;
La vie arrive avec ses passions troublées ;
On jette sa parole aux sombres assemblées[4] ;
15 Devant le but qu'on veut et le sort qui vous prend,
On se sent faible et fort, on est petit et grand ;
On est flot dans la foule, âme dans la tempête ;
Tout vient et passe ; on est en deuil, on est en fête ;
On arrive, on recule, on lutte avec effort… —
20 Puis, le vaste et profond silence de la mort !

11 juillet 1846,
en revenant du cimetière.[5]

---

1. **Virgile :** auteur latin du Ier siècle avant Jésus-Christ, connu pour sa poésie élégiaque et amoureuse. Hugo y fait déjà référence par son titre « Pauca Meæ ».
2. **Dante :** auteur italien (1265-1321), célèbre pour sa *Divine Comédie*, voyage épique et satirique à travers les cercles de l'Enfer, du Purgatoire et du Paradis.
3. **Publique :** louée.
4. Hugo fait référence aux discours prononcés lors de ses combats politiques, comme à la Chambre des pairs.
5. Hugo fait référence à l'enterrement de Claire Pradier, fille de sa maîtresse Juliette Drouet, morte à vingt ans de la tuberculose.

XII

À QUOI SONGEAIENT
LES DEUX CAVALIERS DANS LA FORÊT[1]

La nuit était fort noire et la forêt très sombre.
Hermann à mes côtés me paraissait une ombre[2].
Nos chevaux galopaient. À la garde de Dieu !
Les nuages du ciel ressemblaient à des marbres.
5   Les étoiles volaient dans les branches des arbres
        Comme un essaim d'oiseaux de feu.

Je suis plein de regrets. Brisé par la souffrance,
L'esprit profond d'Hermann est vide d'espérance.
Je suis plein de regrets. Ô mes amours, dormez !
10   Or, tout en traversant ces solitudes vertes,
Hermann me dit : « Je songe aux tombes entr'ouvertes ! »
Et je lui dis : « Je pense aux tombeaux refermés ! »

Lui regarde en avant : je regarde en arrière.
Nos chevaux galopaient à travers la clairière ;
15   Le vent nous apportait de lointains angélus[3] ;
Il dit : « Je songe à ceux que l'existence afflige,
« À ceux qui sont, à ceux qui vivent. — Moi », lui dis-je,
        « Je pense à ceux qui ne sont plus ! »

---

1. Les deux cavaliers incarnent le dualisme, voire le manichéisme, que l'on trouvait dans le neuvième poème. Le compagnon du poète représente son double aux idées antagonistes. On peut penser à un sceau des Templiers représentant deux cavaliers (mais sur une seule monture) pour figurer les deux finalités de cet ordre religieux : le combat et la prière.
2. La consonance germanique du nom et la sombre forêt renvoient aux contes et légendes ainsi qu'aux romantiques d'outre-Rhin.
3. **Angélus :** son des cloches annonçant la prière.

Les fontaines chantaient. Que disaient les fontaines ?
20 Les chênes murmuraient. Que murmuraient les chênes ?
Les buissons chuchotaient comme d'anciens amis.
Hermann me dit : « Jamais les vivants ne sommeillent.
« En ce moment, des yeux pleurent, d'autres yeux veillent. »
Et je lui dis : « Hélas ! d'autres sont endormis ! »

25 Hermann reprit alors : « Le malheur, c'est la vie.
« Les morts ne souffrent plus. Ils sont heureux ! J'envie
« Leur fosse[1] où l'herbe pousse, où s'effeuillent les bois.
« Car la nuit les caresse avec ses douces flammes ;
« Car le ciel rayonnant calme toutes les âmes
30   « Dans tous les tombeaux à la fois ! »

Et je lui dis : « Tais-toi ! respect au noir mystère !
« Les morts gisent couchés sous nos pieds dans la terre.
« Les morts, ce sont les cœurs qui t'aimaient autrefois !
« C'est ton ange expiré ! c'est ton père et ta mère !
35 « Ne les attristons point par l'ironie amère.
« Comme à travers un rêve ils entendent nos voix. »

Octobre 1853.

---

1. **Fosse :** tombe.

XIII

VENI, VIDI, VIXI[1]

J'AI bien assez vécu, puisque dans mes douleurs
Je marche sans trouver de bras qui me secourent,
Puisque je ris à peine aux enfants qui m'entourent,
Puisque je ne suis plus réjoui par les fleurs ;

5   Puisqu'au printemps, quand Dieu met la nature en fête,
J'assiste, esprit sans joie, à ce splendide amour ;
Puisque je suis à l'heure où l'homme fuit le jour,
Hélas ! et sent de tout la tristesse secrète ;

Puisque l'espoir serein dans mon âme est vaincu ;
10   Puisqu'en cette saison des parfums et des roses,
Ô ma fille ! j'aspire à l'ombre où tu reposes,
Puisque mon cœur est mort, j'ai bien assez vécu.

Je n'ai pas refusé ma tâche sur la terre.
Mon sillon ?[2] Le voilà. Ma gerbe ?[3] La voici.
15   J'ai vécu souriant, toujours plus adouci,
Debout, mais incliné du côté du mystère.

---

1. Hugo reprend la célèbre formule de Jules César, « *veni, vidi, vici* » (« je suis venu, j'ai vu, j'ai vaincu »), après une victoire militaire foudroyante, en la détournant : « je suis venu, j'ai vu, j'ai vécu ». Ce constat amer est repris par le poète dans une boucle entre le 1er et le 12e vers, montrant l'absence d'espoir dans sa vie.
2. **Sillon** : trace laissée en labourant la surface d'un champ. Le travail poétique est assimilé, par cette métaphore, au travail de la terre.
3. **Gerbe** : récolte.

J'ai fait ce que j'ai pu ; j'ai servi, j'ai veillé,
Et j'ai vu bien souvent qu'on riait de ma peine.
Je me suis étonné d'être un objet de haine[1],
20 Ayant beaucoup souffert et beaucoup travaillé.

Dans ce bagne[2] terrestre où ne s'ouvre aucune aile,
Sans me plaindre, saignant, et tombant sur les mains,
Morne, épuisé, raillé[3] par les forçats[4] humains,
J'ai porté mon chaînon de la chaîne éternelle.

25 Maintenant, mon regard ne s'ouvre qu'à demi ;
Je ne me tourne plus même quand on me nomme ;
Je suis plein de stupeur et d'ennui[5], comme un homme
Qui se lève avant l'aube et qui n'a pas dormi.

Je ne daigne plus même, en ma sombre paresse,
30 Répondre à l'envieux dont la bouche me nuit.
Ô seigneur ! ouvrez-moi les portes de la nuit
Afin que je m'en aille et que je disparaisse !

Avril 1848.

---

1. Hugo évoque ici ses nombreux ennemis, tant politiques que littéraires.
2. **Bagne :** prison.
3. **Raillé :** moqué.
4. **Forçats :** prisonniers.
5. **Plein de stupeur et d'ennui :** complètement inerte et abattu. Hugo inverse peut-être la célèbre formule de *Macbeth* (V, 5) : « La vie [...] est un récit plein de bruit et de fureur, raconté par un idiot, qui ne signifie rien. »

XIV

Demain[1], dès l'aube, à l'heure où blanchit la campagne,
Je partirai. Vois-tu, je sais que tu m'attends.
J'irai par la forêt, j'irai par la montagne.
Je ne puis demeurer loin de toi plus longtemps.

5   Je marcherai les yeux fixés sur mes pensées,
Sans rien voir au dehors, sans entendre aucun bruit,
Seul, inconnu, le dos courbé, les mains croisées,
Triste, et le jour pour moi sera comme la nuit.

Je ne regarderai ni l'or du soir qui tombe,
10   Ni les voiles au loin descendant vers Harfleur[2],
Et, quand j'arriverai, je mettrai sur ta tombe
Un bouquet de houx[3] vert et de bruyère[4] en fleur.

3 septembre 1847.

---

1. Léopoldine s'est noyée le 4 septembre 1843 : quatre ans plus tard, Hugo se prépare à aller se recueillir sur sa tombe.
2. **Harfleur :** ville normande proche de Villequier.
3. Le houx symbolise la pérennité, l'immortalité.
4. La bruyère, rose ou blanche, symbolise la solitude.

XV

À VILLEQUIER

Maintenant que Paris, ses pavés et ses marbres,
Et sa brume et ses toits sont bien loin de mes yeux ;
Maintenant que je suis sous les branches des arbres,
Et que je puis songer à la beauté des cieux ;

5   Maintenant que du deuil qui m'a fait l'âme obscure
        Je sors, pâle et vainqueur[1],
    Et que je sens la paix de la grande nature
        Qui m'entre dans le cœur ;

Maintenant que je puis, assis au bord des ondes[2],
10   Ému par ce superbe et tranquille horizon,
Examiner en moi les vérités profondes
Et regarder les fleurs qui sont dans le gazon ;

Maintenant, ô mon Dieu ! que j'ai ce calme sombre
        De pouvoir désormais
15   Voir de mes yeux la pierre où je sais que dans l'ombre
        Elle dort pour jamais ;

Maintenant qu'attendri par ces divins spectacles,
Plaines, forêts, rochers, vallons, fleuve argenté,
Voyant ma petitesse et voyant vos miracles,
20   Je reprends ma raison devant l'immensité ;

---

1. La phrase est volontairement ambiguë : on peut lire « Je sors du deuil » ou « Je sors, pâle et vainqueur du deuil ».
2. **Ondes :** eaux.

Je viens à vous, Seigneur, père auquel il faut croire ;
    Je vous porte, apaisé,
Les morceaux de ce cœur tout plein de votre gloire
    Que vous avez brisé ;

25   Je viens à vous, Seigneur ! confessant que vous êtes
Bon, clément, indulgent et doux, ô Dieu vivant !
Je conviens que vous seul savez ce que vous faites,
Et que l'homme n'est rien qu'un jonc qui tremble au vent ;

Je dis que le tombeau qui sur les morts se ferme
30   Ouvre le firmament[1] ;
Et que ce qu'ici-bas nous prenons pour le terme
    Est le commencement[2] ;

Je conviens à genoux que vous seul, père auguste[3],
Possédez l'infini, le réel, l'absolu ;
35   Je conviens qu'il est bon, je conviens qu'il est juste
Que mon cœur ait saigné, puisque Dieu l'a voulu ![4]

Je ne résiste plus à tout ce qui m'arrive
    Par votre volonté.
L'âme de deuils en deuils, l'homme de rive en rive,
40   Roule à l'éternité.

Nous ne voyons jamais qu'un seul côté des choses ;
L'autre plonge en la nuit d'un mystère effrayant.
L'homme subit le joug[5] sans connaître les causes.
Tout ce qu'il voit est court, inutile et fuyant.

---

1. **Le firmament :** l'au-delà.
2. Vision chrétienne de la mort sur terre qui marque le début d'une vie spirituelle.
3. **Auguste :** sacré.
4. Les souffrances vécues sont considérées comme une mise à l'épreuve voulue par Dieu pour tester la foi des croyants : Abraham, Moïse ou Job en sont des exemples.
5. **Subit le joug :** porte l'attelage ; au figuré, subit l'adversité.

45 Vous faites revenir toujours la solitude
   Autour de tous ses pas.
 Vous n'avez pas voulu qu'il eût la certitude
   Ni la joie ici-bas !

 Dès qu'il possède un bien, le sort le lui retire.
50 Rien ne lui fut donné, dans ses rapides jours,
 Pour qu'il s'en puisse faire une demeure, et dire :
 C'est ici ma maison, mon champ et mes amours !

 Il doit voir peu de temps tout ce que ses yeux voient ;
   Il vieillit sans soutiens.
55 Puisque ces choses sont, c'est qu'il faut qu'elles soient ;
   J'en conviens, j'en conviens !

 Le monde est sombre, ô Dieu ! l'immuable[1] harmonie
 Se compose des pleurs aussi bien que des chants ;
 L'homme n'est qu'un atome en cette ombre infinie,
60 Nuit où montent les bons, où tombent les méchants.

 Je sais que vous avez bien autre chose à faire
   Que de nous plaindre tous,
 Et qu'un enfant qui meurt, désespoir de sa mère,
   Ne vous fait rien, à vous !

65 Je sais que le fruit tombe au vent qui le secoue ;
 Que l'oiseau perd sa plume et la fleur son parfum ;
 Que la création est une grande roue
 Qui ne peut se mouvoir sans écraser quelqu'un ;

 Les mois, les jours, les flots des mers, les yeux qui pleurent,
70   Passent sous le ciel bleu ;
 Il faut que l'herbe pousse et que les enfants meurent ;
   Je le sais, ô mon Dieu !

---

1. **Immuable :** qui ne change pas.

Dans vos cieux, au-delà de la sphère des nues,
Au fond de cet azur immobile et dormant,
75 Peut-être faites-vous des choses inconnues
Où la douleur de l'homme entre comme élément.

Peut-être est-il utile à vos desseins sans nombre
  Que des êtres charmants
S'en aillent, emportés par le tourbillon sombre
80 Des noirs événements.

Nos destins ténébreux vont sous des lois immenses
Que rien ne déconcerte et que rien n'attendrit.
Vous ne pouvez avoir de subites clémences[1]
Qui dérangent le monde, ô Dieu, tranquille esprit !

85 Je vous supplie, ô Dieu ! de regarder mon âme,
  Et de considérer
Qu'humble comme un enfant et doux comme une femme,
  Je viens vous adorer !

Considérez encor[2] que j'avais, dès l'aurore,
90 Travaillé, combattu, pensé, marché, lutté,
Expliquant la nature à l'homme qui l'ignore,
Éclairant toute chose avec votre clarté ;

Que j'avais, affrontant la haine et la colère,
  Fait ma tâche ici-bas,
95 Que je ne pouvais pas m'attendre à ce salaire,
  Que je ne pouvais pas

---

1. **De subites clémences :** de brusques actions de générosité.
2. **Encor :** encore (licence poétique à laquelle le poète a recours pour respecter la métrique de l'alexandrin).

Prévoir que, vous aussi, sur ma tête qui ploie,
Vous appesantiriez[1] votre bras triomphant,
Et que, vous qui voyiez comme j'ai peu de joie,
100   Vous me reprendriez si vite mon enfant !

Qu'une âme ainsi frappée à se plaindre est sujette[2],
    Que j'ai pu blasphémer[3],
Et vous jeter mes cris comme un enfant qui jette
    Une pierre à la mer !

105   Considérez qu'on doute, ô mon Dieu ! quand on souffre,
Que l'œil qui pleure trop finit par s'aveugler,
Qu'un être que son deuil plonge au plus noir du gouffre,
Quand il ne vous voit plus, ne peut vous contempler[4],

Et qu'il ne se peut pas que l'homme, lorsqu'il sombre[5]
110   Dans les afflictions[6],
Ait présente à l'esprit la sérénité sombre
    Des constellations !

Aujourd'hui, moi qui fus faible comme une mère,
Je me courbe à vos pieds devant vos cieux ouverts.
115   Je me sens éclairé dans ma douleur amère
Par un meilleur regard jeté sur l'univers.

Seigneur, je reconnais que l'homme est en délire,
    S'il ose murmurer[7] ;
Je cesse d'accuser, je cesse de maudire,
120   Mais laissez-moi pleurer !

---

1. **Appesantiriez :** feriez peser.
2. Qu'une âme ainsi frappée a lieu de se plaindre.
3. **Blasphémer :** insulter la divinité, la religion ou ce qui est considéré comme sacré.
4. Au-delà du rappel du titre, le poète s'excuse devant Dieu d'avoir douté de lui pendant le deuil de sa fille.
5. **Sombre :** se noie.
6. **Afflictions :** peines.
7. **Murmurer :** se plaindre.

Hélas ! laissez les pleurs couler de ma paupière,
Puisque vous avez fait les hommes pour cela !
Laissez-moi me pencher sur cette froide pierre
Et dire à mon enfant : Sens-tu que je suis là ?

125   Laissez-moi lui parler, incliné sur ses restes,
        Le soir, quand tout se tait,
     Comme si, dans sa nuit rouvrant ses yeux célestes,
        Cet ange m'écoutait !

Hélas ! vers le passé tournant un œil d'envie,
130   Sans que rien ici-bas puisse m'en consoler,
Je regarde toujours ce moment de ma vie
Où je l'ai vue ouvrir son aile et s'envoler !

Je verrai cet instant jusqu'à ce que je meure,
        L'instant, pleurs superflus !
135   Où je criai : L'enfant que j'avais tout à l'heure,
        Quoi donc ! je ne l'ai plus !

Ne vous irritez pas que je sois de la sorte,
Ô mon Dieu ! cette plaie a si longtemps saigné !
L'angoisse dans mon âme est toujours la plus forte,
140   Et mon cœur est soumis, mais n'est pas résigné.

Ne vous irritez pas ! fronts que le deuil réclame,
        Mortels sujets aux pleurs,
Il nous est malaisé de retirer notre âme
        De ces grandes douleurs.

145   Voyez-vous, nos enfants nous sont bien nécessaires,
Seigneur ; quand on a vu dans sa vie, un matin,
Au milieu des ennuis, des peines, des misères,
Et de l'ombre que fait sur nous notre destin,

Apparaître un enfant, tête chère et sacrée,
150   Petit être joyeux,
Si beau, qu'on a cru voir s'ouvrir à son entrée
      Une porte des cieux ;

Quand on a vu, seize ans[1], de cet autre soi-même
Croître la grâce aimable et la douce raison,
155 Lorsqu'on a reconnu que cet enfant qu'on aime
Fait le jour dans notre âme et dans notre maison,

Que c'est la seule joie ici-bas qui persiste
      De tout ce qu'on rêva,
Considérez que c'est une chose bien triste
160   De le voir qui s'en va !

Villequier, 4 septembre 1847.

---

1. Léopoldine est morte à dix-neuf ans, et non seize.

XVI

MORS[1]

Je vis cette faucheuse[2]. Elle était dans son champ.
Elle allait à grands pas moissonnant et fauchant,
Noir squelette laissant passer le crépuscule.
Dans l'ombre où l'on dirait que tout tremble et recule,
5   L'homme suivait des yeux les lueurs de la faulx[3].
Et les triomphateurs sous les arcs triomphaux
Tombaient ; elle changeait en désert Babylone[4],
Le trône en échafaud et l'échafaud en trône,
Les roses en fumier, les enfants en oiseaux,
10   L'or en cendre, et les yeux des mères en ruisseaux.
Et les femmes criaient : — Rends-nous ce petit être.
Pour le faire mourir, pourquoi l'avoir fait naître ?[5] —
Ce n'était qu'un sanglot sur terre, en haut, en bas ;
Des mains aux doigts osseux sortaient des noirs grabats[6] ;
15   Un vent froid bruissait dans les linceuls[7] sans nombre ;
Les peuples éperdus semblaient sous la faulx sombre
Un troupeau frissonnant qui dans l'ombre s'enfuit ;

---

1. « Mort » en latin.
2. **Faucheuse :** allégorie de la Mort.
3. La graphie « faux », attestée dès 1587, n'a éliminé officiellement « faulx » qu'en 1932.
4. Babylone est, dans la Bible, la grande ville symbolisant l'orgueil démesuré des hommes, la corruption et la décadence, dont la chute est annoncée dans l'Apocalypse.
5. On dirait : « Si c'était pour le faire mourir, pourquoi l'avoir fait naître ? »
6. **Grabats :** lits de misère.
7. **Linceuls :** tissus dont on enveloppait les morts.

Tout était sous ses pieds deuil, épouvante et nuit.
Derrière elle, le front baigné de douces flammes,
20 Un ange souriant portait la gerbe d'âmes[1].

Mars 1854.

---

1. **La gerbe d'âmes :** le bouquet d'âmes. Hugo file la métaphore agricole vue
précédemment.

XVII

CHARLES VACQUERIE[1]

Il ne sera pas dit que ce jeune homme, ô deuil !
Se sera de ses mains ouvert l'affreux cercueil
    Où séjourne l'ombre abhorrée[2],
Hélas ! et qu'il aura lui-même dans la mort
5   De ses jours généreux, encor pleins jusqu'au bord,
    Renversé la coupe dorée,

Et que sa mère, pâle et perdant la raison,
Aura vu rapporter au seuil de sa maison,
    Sous un suaire[3] aux plis funèbres,
10 Ce fils, naguère encor pareil au jour qui naît,
Maintenant blême et froid, tel que la mort venait
    De le faire pour les ténèbres ;

Il ne sera pas dit qu'il sera mort ainsi,
Qu'il aura, cœur profond et par l'amour saisi,
15   Donné sa vie à ma colombe,
Et qu'il l'aura suivie au lieu morne et voilé,
Sans que la voix du père à genoux ait parlé
    À cette âme dans cette tombe !

En présence de tant d'amour et de vertu[4],
20 Il ne sera pas dit que je me serai tu,
    Moi qu'attendent les maux sans nombre !
Que je n'aurai point mis sur sa bière[5] un flambeau,

---

1. L'époux de Léopoldine s'est laissé périr quand il a vu qu'il ne pouvait la sauver. Il était le frère d'un écrivain et journaliste ami de Hugo.
2. **Abhorrée :** haïe.
3. **Suaire :** voile dont on couvrait les morts.
4. **Vertu :** courage.
5. **Bière :** cercueil.

Et que je n'aurai pas devant son noir tombeau
    Fait asseoir une strophe sombre !

25 N'ayant pu la sauver, il a voulu mourir.
    Sois béni, toi qui, jeune, à l'âge où vient s'offrir
        L'espérance joyeuse encore,
    Pouvant rester, survivre, épuiser tes printemps,
    Ayant devant les yeux l'azur de tes vingt ans
30   Et le sourire de l'aurore,

    À tout ce que promet la jeunesse, aux plaisirs,
    Aux nouvelles amours, aux oublieux désirs
        Par qui toute peine est bannie,
    À l'avenir, trésor des jours à peine éclos,
35   À la vie, au soleil, préféras[1] sous les flots
        L'étreinte de cette agonie !

    Oh ! quelle sombre joie à cet être charmant
    De se voir embrassée au suprême moment,
        Par ton doux désespoir fidèle !
40 La pauvre âme a souri dans l'angoisse, en sentant
    À travers l'eau sinistre et l'effroyable instant
        Que tu t'en venais avec elle !

    Leurs âmes se parlaient sous les vagues rumeurs.
    — Que fais-tu ? disait-elle. — Et lui disait : — Tu meurs ;
45   Il faut bien aussi que je meure ! —
    Et, les bras enlacés, doux couple frissonnant,
    Ils se sont en allés dans l'ombre ; et, maintenant,
        On entend le fleuve qui pleure.

    Puisque tu fus si grand, puisque tu fus si doux
50 Que de vouloir mourir, jeune homme, amant, époux,
        Qu'à jamais l'aube en ta nuit brille !
    Aie à jamais sur toi l'ombre de Dieu penché !

---

1. **Préféras** : le sujet du verbe est « toi qui », neuf vers plus haut.

Sois béni sous la pierre où te voilà couché !
Dors, mon fils, auprès de ma fille !

55 Sois béni ! que la brise et que l'oiseau des bois,
Passants mystérieux, de leur plus douce voix
        Te parlent dans ta maison sombre !
Que la source te pleure avec sa goutte d'eau !
Que le frais liseron[1] se glisse en ton tombeau
60   Comme une caresse de l'ombre !

Oh ! s'immoler, sortir avec l'ange qui sort,
Suivre ce qu'on aima dans l'horreur de la mort,
        Dans le sépulcre[2] ou sur les claies[3],
Donner ses jours, son sang et ses illusions !... –
65 Jésus baise en pleurant ces saintes actions
        Avec les lèvres de ses plaies.

Rien n'égale ici-bas, rien n'atteint sous les cieux
Ces héros, doucement saignants et radieux,
        Amour, qui n'ont que toi pour règle ;
70 Le génie à l'œil fixe, au vaste élan vainqueur,
Lui-même est dépassé par ces essors du cœur ;
        L'ange vole plus haut que l'aigle.

Dors ! – Ô mes douloureux et sombres bien-aimés !
Dormez le chaste hymen[4] du sépulcre ! dormez !
75   Dormez au bruit du flot qui gronde,
Tandis que l'homme souffre, et que le vent lointain
Chasse les noirs vivants à travers le destin,
        Et les marins à travers l'onde !

---

1. **Liseron :** herbe grimpante.
2. **Sépulcre :** tombe généralement imposante.
3. **Claies :** supports en bois auxquels on attachait un supplicié et que l'on faisait tirer par des chevaux.
4. **Hymen :** mariage.

Ou plutôt, car la mort n'est pas un lourd sommeil,
80   Envolez-vous tous deux dans l'abîme vermeil,
      Dans les profonds gouffres de joie,
Où le juste qui meurt semble un soleil levant,
Où la morte au front pâle est comme un lys vivant[1],
      Où l'ange frissonnant flamboie !

85   Fuyez, mes doux oiseaux ! évadez-vous tous deux
Loin de notre nuit froide et loin du mal hideux !
      Franchissez l'éther[2] d'un coup d'aile !
Volez loin de ce monde, âpre hiver sans clarté,
Vers cette radieuse et bleue éternité,
90   Dont l'âme humaine est l'hirondelle !

Ô chers êtres absents, on ne vous verra plus
Marcher au vert penchant des coteaux chevelus[3],
      Disant tout bas de douces choses !
Dans le mois des chansons, des nids et des lilas,
95   Vous n'irez plus semant des sourires, hélas !
      Vous n'irez plus cueillant des roses !

On ne vous verra plus, dans ces sentiers joyeux,
Errer, et, comme si vous évitiez les yeux
      De l'horizon vaste et superbe,
100   Chercher l'obscur asile et le taillis[4] profond
Où passent des rayons qui tremblent, et qui font
      Des taches de soleil sur l'herbe !

Villequier, Caudebec, et tous ces frais vallons,
Ne vous entendront plus vous écrier : « Allons,
105   « Le vent est bon, la Seine est belle ! »
Comme ces lieux charmants vont être pleins d'ennui !

---

1. On pense à Ophélie, innocente amoureuse d'Hamlet, qui se noie quand celui-ci la rejette.
2. **L'éther :** le ciel.
3. Marcher dans les vertes collines.
4. **Taillis :** petit bois.

Les hardis goëlands[1] ne diront plus : C'est lui !
    Les fleurs ne diront plus : C'est elle !

Dieu, qui ferme la vie et rouvre l'idéal,
110 Fait flotter à jamais votre lit nuptial
    Sous le grand dôme aux clairs pilastres[2] ;
En vous prenant la terre, il vous prit les douleurs ;
Ce père souriant, pour les champs pleins de fleurs,
    Vous donne les cieux remplis d'astres !

115 Allez des esprits purs accroître la tribu.
De cette coupe amère où vous n'avez pas bu,
    Hélas ! nous viderons le reste.
Pendant que nous pleurons, de sanglots abreuvés,
Vous, heureux, enivrés de vous-mêmes, vivez
120   Dans l'éblouissement céleste !

Vivez ! aimez ! ayez les bonheurs infinis.
Oh ! les anges pensifs, bénissant et bénis,
    Savent seuls, sous les sacrés voiles,
Ce qu'il entre d'extase, et d'ombre, et de ciel bleu,
125 Dans l'éternel baiser de deux âmes que Dieu
    Tout à coup change en deux étoiles !

                      Jersey, 4 septembre 1852.

---

1. Ancienne graphie de « goéland ».
2. **Pilastres :** colonnes. Les jeunes mariés ont, pour ciel de lit, la voûte céleste.

POUR
APPROFONDIR

Clés d'analyse

I : « Pure Innocence ! Vertu sainte ! »
(pp. 25-26)

Un poème introductif

1. Comment s'exprime ici la souffrance qui traverse le livre « Pauca Meæ » ?
2. Quels éléments évoquent la mort ?
3. En quoi le poème a-t-il une portée générale, formant ainsi une ouverture au livre IV ?

Une ode à l'amour

4. À quoi correspond, dans la réalité, la date fictive que Hugo mentionne à la fin du poème ? (Voir « Pour mieux lire l'œuvre », p. 20.)
5. À qui est dédié ce poème ? Quelle figure désigne les destinataires ? Quelle qualité correspond à chacun d'eux ? Justifiez.
6. Par quels moyens le poète exprime-t-il l'union des amoureux ?
7. Quel mot achève le poème ? Commentez.

Au bord de l'infini

8. En quoi ce poème ressemble-t-il à une prière ?
9. Quels autres éléments renvoient à la religion ? À quoi conduit-elle le poète ?
10. En quoi ce poème évoque-t-il un chemin vers la vérité ? Relevez le lexique et les images qui la traduisent.
11. Repérez toutes les oppositions. Que permet l'amour idéal par rapport au mal et à l'ignorance ?

Pour approfondir

✳ À retenir

« Pure Innocence », « vertu sainte » et « amour » sont trois lumières qui guident un père, terrassé par la mort de sa fille, dans la grande aventure de la connaissance de l'univers. La mort n'est pas une fin en soi, mais un passage qui mène à la vérité et à l'espérance suprêmes.

Clés d'analyse

IV : « Oh ! je fus comme fou » (p. 35)

Une souffrance ineffable

1. Relevez la date inscrite à la fin du poème. Quelle portée lui donne-t-elle ?
2. Comment la douleur s'exprime-t-elle ? Est-elle seulement intérieure ? Justifiez.
3. Quelles expressions, quelles constructions suggèrent que le chagrin paternel est si terrible qu'il ne peut être pleinement formulé ?
4. En quoi la souffrance personnelle prend-elle une résonance universelle et collective ?

La folie

5. Quelle réalité Hugo veut-il dénier ? Justifiez.
6. De quelles hallucinations le poète fait-il l'objet ?
7. Quel acte insensé veut-il commettre sur lui ? Pourquoi ?
8. En quoi la folie est-elle aussi obsession ?

Le doute spirituel

9. Quels éléments indiquent la dimension métaphysique du poème ?
10. Quel sentiment le poète éprouve-t-il à l'égard de Dieu ? Quelle vision du monde s'en dégage ?
11. Dans quel passage le poète semble-t-il se recueillir ? Auprès de qui ?
12. Recherchez les expériences auxquelles Hugo s'est livré dans sa vie pour communiquer avec la disparue. Montrez qu'il cherche ici à la faire revivre.

✳ À retenir

Après trois années de silence, Hugo revient sur le deuil qui a failli l'anéantir. Refusant la réalité scandaleuse et absurde de la mort, il donne à sa fille un nouveau souffle de vie ; lui, son père, son créateur, la fait renaître une seconde fois par la parole poétique.

Clés d'analyse

VII : « Elle était pâle, et pourtant rose » (pp. 41-42)

Un souvenir doux et nostalgique

1. Quels éléments indiquent l'évocation d'un souvenir ?
2. Sur quelle période de sa vie le poète revient-il ? Pourquoi cette scène a-t-elle un caractère intime ?
3. En quoi la simplicité du lexique et le mètre utilisé participent-ils au caractère touchant de l'épisode ?
4. Quels moyens rendent vivant ce tableau du passé ?

La Bible : un livre sacré et personnel

5. Comment la Bible est-elle désignée ?
6. Quels rapports le poète et ses filles entretiennent-ils avec ce texte sacré ?
7. Commentez les références bibliques du vers 21 au vers 24. Qu'ont-elles en commun ? Quelle est leur portée ?
8. Montrez que l'attitude de Léopoldine est aussi exemplaire que le livre qu'elle parcourt.

La contemplation du poète

9. À partir de quel vers le poète devient-il un personnage du texte ?
10. Quelle attitude adopte-t-il ? Justifiez.
11. En quoi la lecture des fillettes se transforme-t-elle en expérience spirituelle pour lui ?
12. Montrez la transfiguration de la scène quotidienne en miracle religieux. Quel registre figure en particulier du vers 35 au vers 40 ?

✳ À retenir

Le poète replonge dans les charmes d'un passé familial simple et émouvant. La sainteté et la pureté de Léopoldine, lectrice idéale de la Bible, le transportent dans les Cieux. La scène familiale si touchante s'achève ainsi en extase spirituelle.

Clés d'analyse

XIII : « Veni, vidi, vixi » (pp. 52-53)

L'exilé de la terre

1. Recherchez à quelles circonstances de la vie de Hugo correspond la date de ce poème.
2. Quels éléments du titre et du texte indiquent que son existence est derrière lui ?
3. Que ressent-il face au monde des vivants ?
4. Quels registres dominent dans le poème ? Justifiez.

L'âpre combat intérieur

5. Quelle célèbre formule le titre parodie-t-il ? Analysez le sens de cette reprise.
6. Comment les hommes se comportent-ils à l'égard du poète ? Quelles fonctions, quel statut a-t-il dans la société ?
7. Quelle attitude a-t-il adoptée jusque-là face aux épreuves de la vie ? Justifiez.
8. Repérez les oppositions entre la lumière et l'obscurité. À quelle bataille livrée par le poète renvoient-elles ?

L'appel de l'ombre

9. Relevez les questions. Qu'expriment-elles ?
10. Expliquez la métaphore à laquelle recourt le poète aux vers 21, 23 et 24.
11. Comment s'exprime la tentation de la mort dans cette pièce ? À qui le poète s'adresse-t-il uniquement ?
12. Quels indices suggèrent néanmoins que, à certains égards, Hugo croit encore en Dieu ?

Pour approfondir

✳ À retenir

Le poète erre dans le monde comme un fantôme parmi les vivants. Ses combats sont derrière lui. Persécuté, exécré par les hommes, il n'aspire plus qu'à l'ombre de la tombe. L'éternité l'appelle. Qu'est-elle ? Gouffre ou espoir d'une sérénité pérenne, après une vie de misère ?

Clés d'analyse

XIV : « Demain, dès l'aube » (p. 54)

Le pèlerinage

1. Relevez les verbes de mouvement. Où s'achève l'itinéraire du poète ?
2. Comment s'expriment l'urgence et la détermination de la marche ?
3. Quels lieux réels le poète traverse-t-il ? En quoi le paysage évoqué paraît-il néanmoins immatériel ?
4. Pourquoi cet itinéraire est-il, cependant, avant tout imaginaire et spirituel ? Étudiez notamment le rythme de la pièce et l'expression du recueillement.

L'obsession

5. Relevez les marques de la deuxième personne. À qui s'adresse le poète ?
6. Quels effets produit le seul pronom qui le désigne lui-même ?
7. Montrez qu'il est replié dans sa conscience, insensible au temps et à l'espace.
8. En quoi ce poème évoque-t-il un rendez-vous amoureux ? Quelle tradition Hugo reprend-il ?

Un tombeau littéraire

9. À quelle date fictive le texte aurait-il été composé ? Quelle en est ainsi la portée ?
10. Comment se traduisent la concision et la simplicité du style ? À quoi renvoient-elles ?
11. Que symbolisent les fleurs du dernier vers ?
12. En quoi cette pièce est-elle, avant tout, une offrande poétique ?

✳ À retenir

Cette pièce marque un tournant dans le deuil du poète, qui glisse du désespoir au culte du souvenir. Hugo célèbre la mémoire de Léopoldine dans un hommage funèbre à la fois intime et universel. Comme Orphée, il voyage au-delà de la mort pour retrouver l'aimée et lui dédier ce bouquet poétique.

Clés d'analyse

XVII : « Charles Vacquerie »
(pp. 64-68)

Un hommage funèbre à Charles Vacquerie

1. Commentez la date, le lieu et le titre de cette pièce.

2. Quel moment réel du drame familial rapportent les trois premières strophes ?

3. Quelles sont les qualités de Charles Vacquerie ? À quel statut accède-t-il ?

4. Expliquez l'expression « Il ne sera pas dit ». Dans quelle strophe en particulier le poète s'engage-t-il à célébrer la mort de Charles Vacquerie ? Quels sont les pouvoirs de la poésie face à la mort ?

L'amour par-delà la mort

5. Par quels moyens le poète met-il en scène la mort du couple ?

6. Quel effet produit le dialogue des amants ?

7. Comment s'opère la transformation de l'événement tragique en mythe littéraire ? De quels autres amants de la littérature peut-on rapprocher ce couple ?

8. Après avoir sombré dans le tombeau liquide, où surgissent-ils ? Commentez ce mouvement.

Un hymne à la foi

9. Qu'ont en commun les images de la mort dans les premières strophes ? Comment se convertissent-elles progressivement ?

10. Quels éléments donnent à ce poème une dimension religieuse ?

11. Quelle lutte traduisent les oppositions du poème ?

12. Comment s'achève ici l'itinéraire intérieur et spirituel du poète ?

✳ À retenir

Cet épilogue funèbre dédié à Charles Vacquerie dresse l'éloge de l'amour et de la religion, lumières suprêmes qui élargissent l'horizon du poète « en marche » vers l'infini.

Genre et langage

✛ Genre

Un tombeau poétique revisité

Au sein des *Contemplations*, le livre IV se distingue comme étant le livre du deuil, au travers duquel la vie, le mariage et la mort de la fille chérie sont évoqués successivement. Le poète n'est plus que père, anéanti par une réalité qui l'a empêché d'écrire pendant plusieurs années. Aussi l'ordre chronologique d'écriture n'est-il pas respecté puisque Hugo reconstruit avant tout un cheminement personnel et offre à la disparue un véritable tombeau honorant sa mémoire.

Le genre est né dans l'Antiquité, réunissant des épitaphes diverses consacrées à un défunt. Au Moyen Âge, il est repris par Villon dans sa célèbre *Ballade des pendus*, puis, à la Renaissance, les poètes rendent hommage à d'autres écrivains (Ronsard et Du Bellay ont eu leur *Tombeau*) ou à des têtes couronnées (François Ier, Marguerite de Navarre, Henri II...). Après une période de désaffection, le genre est de nouveau pratiqué au XIXe siècle : Hugo participe en 1873 au *Tombeau de Théophile Gautier*, avant que Mallarmé ne fasse celui de Charles Baudelaire en 1896. Il s'agit majoritairement de recueils collectifs, avec parfois la volonté de surpasser ses confrères sur un sujet commun au lieu de contribuer à la gloire du disparu.

Si « Pauca Meæ » s'inscrit bien dans cette tradition du tombeau, recueil invoquant une disparue idéalisée, il s'en démarque également pour deux raisons : d'une part, il n'y a qu'un seul auteur, d'autre part, le lyrisme personnel qu'y insuffle Hugo transforme un genre de circonstance en recueil passionné.

La vie d'une fille aimée

Le recueil est donc en partie biographique, selon un des sens possibles du titre : « Quelques vers à propos de ma fille ». Il évoque quelques moments d'une courte vie : l'enfance heureuse, l'éclosion d'une jeune femme, le mariage et la mort. Il est à noter que,

Illustration pour *Les Contemplations*.
Victor Hugo assis auprès d'une tombe.
Estampe de Jean Lecomte du Noüy (1842-1923).

Genre et langage

sans les circonstances tragiques entourant cette dernière, la vie de Léopoldine ne semblait en rien différente de celle de toute jeune fille de son époque. Aucun destin exceptionnel ne lui était dévolu par des dons artistiques et son mariage n'en faisait pas la compagne d'un homme illustre. Et c'est peut-être cette particularité qui démarque ce tombeau poétique des autres et rend l'œuvre si émouvante : l'admiration du père pour la fille est liée à des qualités de cœur que chacun peut reconnaître dans des êtres proches, et non à des talents que peu de gens possèdent.

Une jeunesse ensoleillée

La jeunesse de Léopoldine est évoquée de manière touchante, des poèmes V à VII puis IX : des moments de complicité ressurgissent (elle « Prenait ma plume, ouvrait mes livres, s'asseyait / Sur mon lit, dérangeait mes papiers, et riait », V, v. 5-6), des gestes sont évoqués (« Elle donnait comme on dérobe, / En se cachant aux yeux de tous », VI, v. 21-22) et des détails physiques distillés (« Elle était pâle, et pourtant rose, / Petite avec de grands cheveux », VII, v. 1-2). Le lecteur voit s'ériger le portrait d'une enfant aimable et surtout aimée, voire vénérée par son père : « Et mon front s'éclairait dans l'ombre / À la lumière de ses yeux » (VI, v. 15-16). On a l'image d'un bonheur familial auquel Léopoldine contribue grandement. Fille aînée, c'est elle qui donne l'exemple à ses frères et sœurs : « Le soir, elle prenait ma Bible / Pour y faire épeler sa sœur » (VII, v. 5-6). Mais c'est elle aussi qui unit le père à ses autres enfants : « Elle me disait : "Père, viens ! / Nous allons t'apporter ta chaise, / Conte-nous une histoire, dis !" » (IX, v. 32-34). Investi de sa mission de conteur, le père heureux devient héros : « J'étais l'Arioste et l'Homère / D'un poème éclos d'un seul jet » (IX, v. 45-46). Le lecteur, spectateur de cette scène familiale très simple, a le privilège d'accompagner Hugo dans son intimité et dans sa mémoire : « Pénètre, / Mon cœur, dans ce passé charmant ! » (IX, v. 9-10). La puissance de l'écriture inscrit à jamais dans le temps ces instants éphémères, donnant à la fois au poète et à sa fille le privilège de ne jamais disparaître de la mémoire collective.

Une jeune femme angélique et un homme courageux

« Pure Innocence ! Vertu sainte ! » En plaçant sa quatrième section
des *Contemplations* sous l'égide de ce premier vers, Hugo en appelle
à deux idées, l'innocence et la vertu, déjà présentes à la fin du livre
précédent dans le long poème « Magnitudo Parvi » (« la grandeur
des petits »). Ces idées tant inspiratrices que protectrices seront,
dans ce recueil, incarnées par Léopoldine et Charles. La pureté et
l'innocence : les deux termes sont associés à la toute jeune femme
dont l'âme candide, blanche, étrangère au mal, est célébrée sans
cesse, notamment par l'image de l'ange : « Les anges se miraient en
elle » (VI, v. 29). Léopoldine n'est pas seulement un ange depuis sa
mort, elle était angélique de son vivant : « doux ange aux candides
pensées » (VI, v. 49).

La vertu, étymologiquement, renvoie aux qualités masculines (*vir*
signifiant « homme » en latin) que sont le courage, la force morale.
Ces qualités seront précisément attribuées à Charles dans le poème
qui lui est dédié, le dernier du recueil. Voyant qu'il ne pouvait
sauver sa bien-aimée, il a en effet donné sa vie pour accompagner
Léopoldine dans son tragique destin. Cet acte, décrit comme le
signe de « tant d'amour et de vertu », prouve son abnégation et surtout son amour.

La rencontre de belles âmes

C'est bien un parcours amoureux qui nous est proposé dans ce
recueil : le mot « amour », qui conclut le premier poème, désigne
Léopoldine, la fille choyée, réunie à Charles dans un couple idéal dans
la dernière strophe du dernier poème : « Vivez ! aimez [...] / Dans
l'éternel baiser de deux âmes que Dieu / Tout à coup change en deux
étoiles ! » Les liens entre les époux sont décrits dans le deuxième
poème, marquant l'étape décisive qu'est le mariage dans la vie de
la jeune femme : « Aime celui qui t'aime, et sois heureuse en lui » (II,
v. 1). Charles et sa famille y apparaissent comme les continuateurs
de la douce enfance de Léopoldine, un nouveau foyer aimant et
accueillant venant soulager la tristesse du père dont la fille se marie.

Pour approfondir

Genre et langage

Une vie brisée

Inévitablement, le jour tragique de la mort est évoqué dans le recueil. En ne plaçant que la date en titre, suivie d'une ligne de points, le poète montre la douleur paternelle qui anéantit sa voix. Le parcours chronologique des trois premiers textes (« Janvier 1843 », « Dans l'église, 15 février 1843 » puis « 4 septembre 1843 ») ne correspond pas aux véritables dates d'écriture des textes : Hugo réécrit son cheminement personnel par rapport à la destinée de sa fille. Quel plus bel hommage lui rendre que d'être muet, lui, le porte-parole des hommes ? En écrivant simplement la date du décès sur le papier, à la manière de la date gravée sur la stèle d'une tombe, Hugo rend son tombeau poétique atemporel, soustrayant à jamais la mémoire de sa fille à l'oubli dévolu aux simples mortels.

Portrait de Léopoldine Hugo, en 1837.
Dessin d'Adèle Hugo (1803-1868).

✤ Langage et forme

Une forme classique mais variée

Les vers utilisés sont très majoritairement des octosyllabes et des alexandrins. Quelques hexasyllabes permettent d'opérer un changement de rythme au sein d'un poème : dans le VIII, un hexasyllabe succède à deux alexandrins ; dans le XV, chaque quatrain d'alexandrins est suivi d'un quatrain alternant alexandrins et hexasyllabes. Quant aux strophes, s'il s'agit essentiellement de quatrains, on trouve aussi des quintils, sizains ou encore des poèmes en une seule strophe (« Mors », XVI). Les rimes sont plus souvent plates ou croisées qu'embrassées, mais, là encore, tous les choix sont explorés. Ces différences de rythme montrent à quel point l'inspiration et le ton des dix-sept poèmes changent dans le recueil : les premiers, qui évoquent souvent le souvenir de Léopoldine, sont plutôt composés en octosyllabes. Puis, lorsque le poète se concentre sur le deuil et ses souffrances, il retrouve l'alexandrin, le mètre le plus propice aux élans lyriques.

Un lyrisme inspiré

On trouve dans cette élégie toutes les marques habituelles du registre lyrique : phrases exclamatives, vocabulaire abstrait, première personne omniprésente, expression de l'intensité des sentiments éprouvés… Le vocabulaire pourrait paraître excessif, les métaphores et hyperboles pesantes et pourtant, jamais les émotions décrites ne semblent feintes. En effet, le poète aux ambitions philosophiques, qui voulait atteindre la vérité par la connaissance, redevient humain face à la mort, humble face à des événements qui le surpassent. Aussi le champ lexical de la religion côtoie-t-il celui de la vie quotidienne, les doctrines manichéistes succèdent-elles à la description d'une maison dans les bois. Cette diversité du langage, tout comme celle du rythme poétique, traduit bien toute la palette d'émotions que le poète explore dans « Pauca Meæ » : si

Genre et langage

la souffrance est puissante, la douceur l'est aussi dans l'évocation des précieux moments du bonheur passé, tout comme la révolte puis l'acceptation de son destin. Le lecteur ne peut qu'être sensible à la sincérité de cette voix. Hugo rejoint en cela le titre de cette partie des *Contemplations*, emprunté à une élégie de Virgile : le chant triste adressé à celle dont le nom n'est jamais prononcé prend une dimension universelle. Comme le poète l'annonçait dans sa Préface : « Hélas ! quand je vous parle de moi, je vous parle de vous. »

Pour approfondir

Thèmes et prolongements

✤ Thèmes

La finitude de l'homme

Autant que la mort de Léopoldine, les poèmes racontent les sentiments vécus face à la mort d'un être cher. La douleur se traduit par ce silence poétique – après la date fatidique – que le poète met plusieurs années à surmonter (« Trois ans après »). La souffrance et surtout l'incompréhension commencent à se dire : « Je suis terrassé par le sort » (III, v. 2), « Maintenant, je veux qu'on me laisse ! » (III, v. 81). Le poète s'accable de reproches, avant de céder à la révolte : « – Est-ce que Dieu permet de ces malheurs sans nom / Qui font que dans le cœur le désespoir se lève ? » (IV, v. 10-11). L'injustice de la mort, qui touche les innocents, les jeunes, les proches, renvoie l'homme à sa finitude, sa petitesse par rapport au monde qui l'entoure et par rapport aux puissances supérieures qui le gouvernent. Cette hégémonie, égrenée dans chaque poème, culmine dans « Mors », où la Faucheuse apparaît inexorable : « Tout était sous ses pieds deuil, épouvante et nuit » (XVI, v. 18). Dès lors, quel peut être le rôle du poète ? « Veni, vidi, vixi » marque un renoncement à la vie avec le dernier verbe, « j'ai vécu », euphémisme désignant sa propre mort. En perdant les clartés dispensées par sa fille, le poète, convaincu de sa petitesse, est tombé dans l'obscurité du Néant.

La lumière perdue et retrouvée

Derrière le « noir squelette », un espoir cependant se profile : « le front baigné de douces flammes / Un ange souriant portait la gerbe d'âmes » (XVI, v. 20). En effet, si la mort occupe tout le recueil, l'image de l'ange, avec la blancheur de son innocence, rejoint celle de l'étoile avec un point commun : la lumière, symbole d'espoir, qu'elles distillent. Le poète relie, par ce thème, « Pauca Meæ » aux autres parties des *Contemplations*, où il cherchait et atteignait la lumière de la connaissance et de la vérité. Ainsi, ce flambeau lui est ôté lorsque la nuit du deuil s'est abattue sur lui : « Ces clartés, jour d'une autre sphère, / Ô Dieu jaloux, tu nous les vends ! / Pourquoi m'as-tu pris la lumière / Que j'avais parmi les vivants ? » (III, v. 41-44). À la gloire du poète menant le peuple vers les rayons célestes, le père désolé oppose les « douces lueurs » (III, v. 68) des yeux de sa fille, à jamais disparues. Le recueil revient incessamment sur les ténèbres dans lesquelles le poète, et avec lui l'Homme, se débattent, sans repère dans un monde obscur. Puni pour son orgueil d'avoir voulu atteindre la lumière divine, le poète entraîne dans sa chute les « foules décrépites » (III, v. 87). Peu à peu, une nouvelle lumière se substitue à celle, éblouissante, de la vérité : celle de l'Âme, figurée par l'ange de « Mors » puis par le couple étoilé qui clôt le recueil (« l'éternel baiser de deux âmes que Dieu / Tout à coup change en deux étoiles ! », XVII, v. 125-126). Ce scintillement faible de l'étoile, trouvé au terme de « Pauca Meæ », permet à la fois au poète de reprendre son rôle, de nouveau inspiré par une lueur divine, et au père de reprendre confiance en la vie éternelle des âmes pures.

La réécriture du Temps

À l'instantanéité et la brusquerie de la mort physique s'oppose la pérennité de l'au-delà. Le poète, s'il veut livrer un combat contre la finitude de l'Homme, doit lutter contre le Temps et l'éternité divine qui écrasent ce dernier. On notera donc la multiplicité des références temporelles dans l'œuvre : *Les Contemplations* sont ainsi scindées en deux époques, « Autrefois (1830-1843) » et « Aujourd'hui (1843-1856) », avec « Pauca Meæ » en ouverture de la seconde époque. Des dates fictives d'écriture sont placées en bas des poèmes, construisant une chronologie ayant pour repère central le « 4 septembre 1843 » et son silence. Depuis « Trois ans après », « Oh ! je fus comme fou dans le premier moment », « Elle avait pris ce pli dans son âge enfantin », « Quand nous habitions tous ensemble », « Ô souvenirs ! » et jusqu'au fameux « Demain, dès l'aube », nombreuses sont les marques temporelles dans les titres ou les premiers vers, comme autant de jalons dans une histoire. Ce n'est qu'une fois

Victor Hugo sur le rocher des Proscrits (île de Jersey), en 1853.
Photographie de son fils Charles (1826-1871).

Thèmes et prolongements

le passé réécrit que le poète peut se tourner vers l'avenir et se réap-
proprier la date fatidique : « Demain, dès l'aube » renvoie évidem-
ment au jour anniversaire du décès de sa fille, avec la certitude, en
gravant le futur proche dans le temps de l'écriture, d'accepter, voire
de maîtriser le passé. Le poème, offrant à la jeune fille l'immortalité
de la parole poétique, renoue le dialogue rendu impossible entre le
père et la fille, par-delà le temps mais aussi l'espace. En effet, Hugo
est, au moment où il écrit ce poème, en exil politique. Le recueillement sur la tombe de sa fille, impossible dans la réalité, est effectif
dans l'espace-temps de l'écriture.

Dieu et l'infini

« Car le Mot c'est le Verbe, et le Verbe c'est Dieu » : le vers final du
huitième poème des *Contemplations* annonce le rôle prophétique
du poète qui, par le pouvoir du Verbe, transcende sa finitude. Par
l'épreuve du deuil, marquée par le silence, le poète opère son chemin de croix en réécrivant sa relation au divin : les différents termes
désignant l'Être suprême abondent (« Jéhovah », « Seigneur », « fatal
maître », III, v. 45) et l'interjection « ô Dieu ! » (parfois « ô mon
Dieu ! ») apparaît onze fois dans notre livre. Autant qu'un dialogue
avec les morts, le recueil instaure avec Dieu un dialogue que les
autres livres poursuivront. Le projet initial de Hugo était d'ajouter,
aux six livres que nous connaissons, un ensemble de vers, prolon-
geant cette veine mystico-lyrique, sous le titre *Dieu*. Son entourage,
dont le père de Charles Vacquerie, l'en a dissuadé, craignant que
cette pièce n'alourdisse une œuvre déjà riche de 12 000 vers. Une
partie intitulée *L'Océan d'en haut*, puis d'autres fragments publiés
dans *Religions et religion* (1880) ou encore *La Fin de Satan*, montrent
bien que le thème, sous une forme lyrique, n'a jamais quitté l'esprit
de l'écrivain.

Pour approfondir

✣ Prolongements

Une lignée poétique

Le genre du tombeau poétique est apparu dans l'Antiquité ; ce n'est pas le seul hommage que Victor Hugo rend aux poètes antiques. Le titre « Pauca Meæ » renvoie ainsi à Virgile, de même que le vers « On lit Virgile et Dante » (XI, v. 3). Le lien avec *Les Bucoliques* est celui du registre élégiaque, lyrisme propre au chant de deuil ou de tristesse. Homère et l'Arioste sont également cités en référence (IX, v. 45), lorsque le poète évoque les épopées qu'il invente pour captiver sa famille réunie le soir autour de lui. Il s'inscrit, plus que dans une veine stylistique, dans une tradition poétique de l'oralité : la poésie est d'abord un chant, une parole incantatoire qui fait surgir êtres et lieux imaginaires pour les transporter à travers les époques et l'espace. Le trait d'union entre ces poètes, si l'on écarte Homère, pourrait être la langue : le latin, que les poètes italiens ont décliné sous une nouvelle forme à la Renaissance, et que Hugo essaime dans ses titres. En reprenant cette langue toujours très présente au XIXᵉ siècle (la langue des personnes instruites, mais aussi celle du christianisme traditionaliste), il se tourne vers ses prédécesseurs pour mieux placer sa propre langue, le français, dans une continuité poétique.

La réception des *Contemplations*

Lors de la publication, en 1856, Hugo est toujours en exil politique à Guernesey, après Jersey. L'éloignement de l'auteur n'empêche pas le succès public de l'œuvre : sur les 3 000 premiers exemplaires tirés, 2 500 s'écoulent en deux jours. L'universalité du langage de la douleur d'un homme n'est sans doute pas étrangère à ce succès. Juliette Drouet, maîtresse du poète avec qui il se trouvait en voyage lors de la mort de Léopoldine, lui écrit, le jour de la parution : « Cher adoré, à partir d'aujourd'hui le *23 avril* prend sur la terre, dans l'esprit des hommes et dans le ciel, parmi les âmes, le nom *LES CONTEMPLATIONS*, date et constellation nouvelle pour l'almanach et pour les astronomes présents et à venir. » Le milieu littéraire

Thèmes et prolongements

sera plus mitigé : l'accueil favorable d'Alexandre Dumas (*Lettre à Victor Hugo* du 24 avril) et de George Sand (deux articles parus en juin) ne fait pas oublier les attaques virulentes de Gustave Planche, critique influent de *La Revue des Deux Mondes*, ou de Barbey d'Aurevilly dans *Le Pays*. Le premier reproche au poète le fond et la forme choisis : « Malheureusement, dans les pièces qu'il nous donne pour l'expression de sa philosophie, l'obscurité de la forme s'ajoute à la puérilité de l'idée [...]. » Le second dénie sa sincérité en le décrivant comme un « trafiquant de larmes » pour la partie lyrique, et le reste du livre comme un « horrible fatras incohérent et furieux ». Il faudra attendre Baudelaire, puis Rimbaud ou Leconte de Lisle, pour que la puissance visionnaire du recueil soit reconnue. Nous laisserons à ce dernier le soin de résumer la singularité de l'œuvre, dans son *Discours de réception à l'Académie française*, le 31 mars 1887 : « Le livre des *Contemplations*, d'autre part, grave, spirituel, philosophique, rêveur, d'une inspiration complexe, mêle les voix sans nombre de la nature aux douleurs et aux joies humaines. »

Portrait de Victor Hugo, en 1873.
Photographie d'Étienne Carjat (1828-1906).

Glossaire

Alexandrin : vers de douze syllabes.

Allégorie : figuration d'une abstraction par un être animé.

Allitération : répétition d'une même consonne dans une suite de mots voisins.

Antithèse : figure rapprochant deux termes opposés.

Assonance : répétition d'une même voyelle dans une suite de mots voisins.

Césure : coupure à l'intérieur d'un vers de plus de huit syllabes.

Comparaison : analogie entre comparé et comparant avec un outil de comparaison.

Contre-rejet : élément placé en fin de vers, étroitement lié au vers suivant.

Élégie : poème lyrique hérité de l'Antiquité et exprimant la plainte, la mélancolie ou le chagrin.

Enjambement : dépassement de la phrase au-delà de la limite du vers.

Hémistiche : moitié d'un vers délimitée par une césure.

Hyperbole : exagération qui donne plus de portée au message.

Lyrisme : le texte lyrique (de « lyre », instrument de musique à cordes) est musical, se confondant avec la chanson jusqu'au XVe siècle. Puis il exprime l'exaltation des sentiments personnels.

Métaphore : du grec *metaphora*, signifiant « transport » (d'où « transposition »). Analogie entre deux éléments sans outil de comparaison.

Métonymie : figure remplaçant un élément par un autre avec lequel il est implicitement en lien : par exemple, la cause pour l'effet, le contenant pour le contenu.

Mètre : unité de mesure du vers.

Octosyllabe : vers de huit syllabes.

Ode : forme lyrique composée d'un nombre variable de strophes et célébrant de grands événements, des sentiments personnels ou des héros.

Oraison funèbre : discours prononcé publiquement en hommage à un défunt.

Personnification : figure prêtant des traits humains à une chose non animée ou à une idée.

Prosopopée : figure par laquelle on donne la parole à un absent, à un mort ou à une entité personnifiée.

Quatrain : strophe de quatre vers.

Rejet : élément placé en début de vers, étroitement lié au vers précédent.

Rimes : elles peuvent être plates (aabb), croisées (abab) ou embrassées (abba).

Rythme : il est déterminé par la place des accents, de la césure, des rejets et contre-rejets.

Sizain : strophe de six vers.

Tombeau poétique : ensemble de poèmes d'auteurs différents, rendant hommage à un mort souvent célèbre.

Trimètre romantique : alexandrin de forme ternaire (4/4/4), très utilisé par les poètes romantiques qui l'ont consacré.

Pour approfondir

91

Bibliographie et filmographie

Éditions de référence

Victor Hugo, Œuvres poétiques, tome II, sous la direction de Pierre Albouy, Bibliothèque de la Pléiade, Gallimard, 1967.

Hugo – Les Contemplations, sous la direction de Léon Cellier, Garnier, 1985.

Sur Victor Hugo

Decaux, Alain, *Victor Hugo*, Perrin, 2011.

Gallo, Max, *Je suis une force qui va*, tome 1, Éditions XO, 2001.

Maurois, André, *Olympio ou la vie de Victor Hugo*, Hachette, 1954.

Sur Victor Hugo poète

Weber, Jean-Paul, *Genèse de l'œuvre poétique*, Gallimard, 1960.

Sur *Les Contemplations*

Barrère, Jean-Bertrand, *La Fantaisie de Victor Hugo*, 3 volumes, José Corti, 1949-1960 ; Klincksieck, 1972.

Baudoin, Charles, *Psychanalyse de Victor Hugo*, Éditions du Mont-Blanc, Genève, 1943 ; Armand Colin, 1972.

Gaudon, Jean, *Le Temps de la Contemplation*, Flammarion, 1969.

Gaudon, Sheila, « Hetzel, éditeur des *Contemplations* », *Europe*, novembre-décembre 1980.

Gély, Claude, *Victor Hugo, poète de l'intimité*, Nizet, 1969.

Journet René et Robert Guy, « Autour des *Contemplations* », *Annales littéraires de l'université de Besançon*, 1958.

Lejeune, Philippe, *L'ombre et la lumière dans « Les Contemplations »*, Archives des Lettres modernes, 1968.

Pruner, Francis, *« Les Contemplations », pyramide-temple, ébauche pour un principe d'explication*, Lettres modernes, 1962.

Filmographie

Rohmer, Éric, *Les Contemplations*, téléfilm, 1966.

Sur « Pauca Meæ »

Collectif, *Analyses et réflexions sur « Les Contemplations » de Victor Hugo : livres IV et V – La vie et la mort*, Ellipses, 1982.

Perrollaz, Louis, *Victor Hugo pleurant la mort de sa fille : étude historique et psychologique sur les « Pauca Meæ »*, Nabu Press, 2011.

Sarrochi, Jean, « L'imagination de Dieu dans *Les Contemplations* », *Travaux de linguistique*, vol. 2, pp. 135-139, 1967.

Pour approfondir

Crédits photographiques

Imprimé en Italie par La Tipografica Varese Srl
Dépôt légal : août 2015 – 316724/02
N° de projet : 11033531 – Avril 2016